河 防 问 答

胡一三　赵天义　杨树林　编著

黄河水利出版社

前　　言

洪水灾害是我国大部分地区经常遭受的主要灾害之一，历史上曾给人民的生命财产造成巨大的损失。新中国成立后，我国进行了大规模的江河治理和防洪建设，修建了大量水库、堤防和河道整治工程，为控制洪水、减轻洪水灾害发挥了重要作用。

河防工程主要包括堤防、河道整治工程和为分滞洪水或引水而在堤防上修建的涵闸工程。本书系统地介绍了这三类河防工程建设和管理的基础理论知识和专业技术知识。在编写过程中，本着理论联系实际、突出实用性的原则，在简明扼要叙述基础理论知识的基础上，着重于具体施工、管理、抢险方法的介绍。在内容的安排上，遵循由浅入深、循序渐进的原则，便于读者理解和掌握书中的内容。全书采用问答的形式，一题一答，以利于读者根据工作中遇到的问题有针对性地学习。本书适合于从事防洪、河道整治、工程管理等专业的技术人员阅读，也可供河防技术工人培训之用。

本书第一、二、三章分别由胡一三、杨树林、赵天义撰写，全书由胡一三统稿。由于成书仓促和水平所限，书中难免有错误和疏漏之处，敬请读者批评指正。

编者

2000年1月

目　录

第一章 河道整治

第一节 绪 论

1.1.1 河道整治按整治目的可分为哪几类？

河道整治按整治目的可分为：①以防洪为目的的河道整治；②以改善航运条件为目的的河道整治；③以引水灌溉、工业及生活用水为目的的河道整治；④以浮运竹木为目的的河道整治；⑤以桥墩安全为目的的河道整治；⑥为保护城镇而进行的局部河道整治等。

1.1.2 为什么说河道是水流与河床相互作用的产物？泥沙起什么作用？

水流和河床是相互作用的两个方面。水流作用于河床，使河床发生变化；河床反作用于水流，影响水流的结构和运行规律。二者是一个相互矛盾的统一体，它们相互依存，相互影响，相互制约，永远处于变化和发展的过程中。在许多情况下，泥沙在水流与河床的相互作用中起着纽带作用，两者的相互作用是通过泥沙运动来达到和体现的。例如，在一种情况下，通过泥沙的淤积使河床抬高；在另一种情况下，又通过水的冲刷使河床下切。两种情况都是通过泥沙的运动来达到的。

1.1.3 简述河道整治的基本方法。

河道整治的基本方法可归结为调整水流和调整河床两个方面。即通过修建河道整治建筑物等方式调整水流,借调整好了的水流来调整河床;通过爆破、疏浚等方式调整河床,借调整好了的河床来调整水流。这两种基本方法,有时单独使用,有时相互配合使用。

1.1.4 简述河道整治与防洪的关系。

河势变化会造成塌滩塌岸,严重时会塌断堤防造成决口成灾。冲决是黄河决口的主要型式之一。清道光二十三年(1843 年)中牟九堡决口、清同治七年(1868 年)郑州郊区冯庄决口等都是由于水流顶冲堤防,抢护不及造成的决口。每次决口都给两岸人民造成深重的灾难。通过河道整治,控导水流、稳定河势、减少堤防严重抢险,防止堤防冲决。因此,确保防洪安全必须进行河道整治,河道整治是防洪的重要工程措施。

1.1.5 简述长江、淮河、黄河历史上的洪水灾害。

新中国成立前,长江、淮河、黄河曾给两岸人民带来严重的水灾。长江是我国的第一大河,水量丰富。在干流的宜昌至大通河段,接纳了 90%流域面积的水量。该段堤距 1~7km,在窄段泄洪能力低,历史上是洪水灾害严重的河段。据统计,自公元前 185 年至 1911 年,曾发生各种水害 214 次,平均 15 年一次。位于长江与黄河之间的淮河,据历史资料统计,在 14 世纪以后,每世纪发生水灾次数达 70 次以上,平均三年两次水灾。黄河是我国的第二条大河,由于泥沙淤积,河床逐年抬高,下游河道成为海河、淮河水系的分水岭,极宜决口成灾。在新中国成立前的 2 540 多年中,发生决口 1 590 多次,改道 26 次,大的改道、迁徙 5 次,平均三年两决口,百年一改道。每次决口都造成人民生命财产的惨重损失。

1.1.6 何谓险工？

广义的险工是指在设计运用条件下可能发生危险的工程区段。造成险工的原因主要有：规划不当，设计失误，施工质量差，建筑材料使用不当，运行期间管理不善，历史上遗留问题，削弱建筑物强度的獾洞、蚁穴和金属锈蚀、表层机械损坏等。在某些特定的情况下，工程的非险工区段也会转化为险工区段。在黄河上广义的险工习惯上称为险点或险段。

黄河上的险工有其自身形成、发展、完善的过程。由薪柴土料为主体的埽工，到以柳石为主体的柳石工，柳腐烂后即变成了石工。在黄河防洪工程中，险工专指为了防止水流淘刷堤防沿大堤修建的丁坝、垛、护岸工程。在进行河道整治后，在布局上还要求险工具有控导河势的作用。

1.1.7 何谓悬河？

悬河是河床高出两岸地面的河，又称地上河。洪水位高于两岸地面是平原河道的一般特性，枯水水位也高于两岸地面才是悬河的特征。对于来沙量大的河流，在比降平缓的中下游，泥沙大量堆积，河床不断抬高。为防止水害，两岸大堤随之加高，年长日久成为悬河。黄河下游是世界著称的悬河，河床滩面高于两岸地面一般 4～6m，部分堤段超过 10m，如图 1-1 所示。

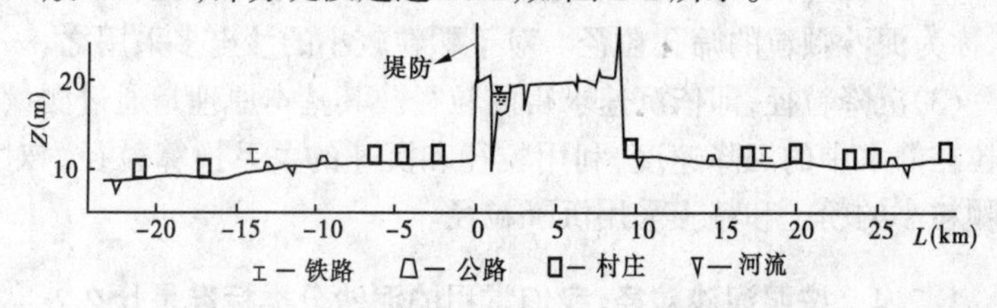

图 1-1　黄河下游悬河示意图

第二节　泥沙运动

1.2.1　泥沙的基本特性包括什么?

泥沙的基本特性包括:①几何特性:泥沙颗粒的形状、大小及群体泥沙的组合特性等。②重力特性:泥沙颗粒的重率及淤积泥沙的干容重。③水力特性:泥沙颗粒的沉降速度和临界流速等。

1.2.2　何谓泥沙?如何表示泥沙的大小?

随着水流运动的和构成河床的松散固体颗粒,叫做泥沙。泥沙的大小可用颗粒的直径来表示,简称为粒径。

1.2.3　简述测量泥沙粒径的三种方法。

(1)等容粒径。就是体积与泥沙颗粒体积相等的球体直径,即把形状不规则的泥沙球体化。大颗粒的泥沙多用等容粒径。对于较大颗粒的泥沙,可利用它的重量、重率求出体积,进而计算出粒径。也可量出泥沙颗粒的长轴 a、中轴 b、短轴 c,利用公式 $d=\sqrt[3]{abc}$求出等容粒径。

(2)筛孔直径。使用公制标准筛,把刚可通过的筛孔孔径的大小,称为泥沙颗粒的筛孔粒径。对于颗粒较小的沙土多采用之。

(3)沉降粒径,即依沉速求得的粒径。其基本原理是通过测量沙粒在静水中的沉降速度,利用粒径和沉速的关系换算粒径。对于颗粒小的粉土和粘土采用沉降粒径。

1.2.4　按照泥沙粒径,我们常用的泥沙分类标准是什么?

泥沙粒径小于 0.005mm 的称为粘粒,0.005～0.05mm 的称为粉粒，0.05～2mm 的称为沙粒，2～20mm 的称为砾石，20～200mm 的称为卵石，大于 200mm 的称为漂石。

1.2.5 如何绘制泥沙的颗粒分配曲线？

通过泥沙颗粒分析，求出沙样中各种粒径泥沙的重量，算出小于各种粒径的泥沙总重量，然后在半对数纸上以横坐标（对数分格）表示泥沙的粒径 d，纵坐标（普通分格）表示小于该粒径的泥沙在沙样中所占的重量百分比 p，点出 $d \sim p$ 关系，并以曲线相连，即为泥沙的颗粒分配曲线。

1.2.6 何谓中值粒径？

中值粒径 d_{50} 也叫中数粒径。它是在颗粒分配曲线上与纵坐标 50% 相对应的粒径。

1.2.7 何谓非均匀系数？

非均匀系数 Φ 也称为拣选系数，它反映沙样的均匀程度。定义为：

$$\Phi = \sqrt{\frac{d_{75}}{d_{25}}}$$

其值愈大于 1，沙样就愈不均匀。

1.2.8 何谓平均粒径？怎样求平均粒径？

平均粒径 d_m 是各种泥沙粒径的加权平均值，按下式求 d_m 的值：

$$d_m = \frac{\sum \Delta p_i \Delta d_i}{100}$$

式中　Δd_i——第 i 粒径组的平均粒径；

Δp_i——与 Δd_i 相应粒径组的泥沙重量占总沙量的百分数。

1.2.9 何谓泥沙的重率？常用单位是什么？通常的取值范围是多少？

泥沙的重率 γ_s 是泥沙各个颗粒实有的重量与实有体积的比值。常用的单位为 t/m^3 或 kg/m^3。其值的变化范围为 2 550～2 750kg/m^3，一般取 $\gamma_s = 2\ 650kg/m^3$。

1.2.10 何谓泥沙的干容重？其影响因素主要有哪些？

泥沙的干容重 γ 是沙样烘干后的重量与原状沙样的整个体积(包括泥沙颗粒实体和空隙)的比值。影响淤积泥沙干容重的因素主要有泥沙颗粒大小、组成的均匀程度、淤积的深度、淤积的时间、泥沙的化学成分、淤积的环境部位及水文条件等。

1.2.11 何谓含沙量？含沙量三种表示方法的定义分别是什么？

浑水中含有泥沙颗粒的多少，叫做含沙量。含沙量三种表示方法的定义分别为：

(1)以体积百分比表示。即单位体积浑水中含有泥沙的体积，用百分比表示：

$$S_v = \frac{\text{泥沙所占体积}}{\text{浑水体积}}$$

(2)以重量百分比表示。即单位重量浑水中含有泥沙的重量，用百分比表示：

$$S_G = \frac{\text{泥沙所占重量}}{\text{浑水重量}}$$

(3)混合表达式。即单位体积浑水内含有泥沙的重量，多以

kg/m^3 为单位表示：

$$S = \frac{泥沙所占重量}{浑水体积}$$

1.2.12 何谓泥沙的沉降速度?

泥沙颗粒在静止的清水中等速下沉的速度称为泥沙的沉降速度。

1.2.13 按照泥沙在水流中的运动状态,可把泥沙分为哪两种类型?

按照泥沙在水流中的运动状态,可将泥沙分为推移质和悬移质。

1.2.14 什么叫推移质?什么叫悬移质?

泥沙一颗一颗地沿河床滚动或跳跃前进,运动一阵,停止一阵,呈间歇性。运动着的泥沙与静止的泥沙经常彼此置换。前进的速度,远较水流速度小。这种滚动和跳跃前进的泥沙,叫做推移质。泥沙在水中浮游顺水流前进,与水流的速度基本上相同。泥沙的位置时上时下,较细的泥沙往往能上升到接近水面,较粗的泥沙有时甚至回到河床上“休息”,并发生与床面泥沙(床沙)的置换现象。但与推移质相比,浮游的持续性是相当大的。这种浮游前进的泥沙,叫做悬移质。

1.2.15 什么叫床沙质?什么叫冲泻质?二者的关系如何?

通常把悬移质中相当于组成床沙主体的粗颗粒泥沙叫做床沙质,而把悬移质中大部分细颗粒泥沙叫做冲泻质。二者在一定条件下可以互相转化。一般情况是上游河段的床沙组成较粗,下游河段的床沙组成较细。上游河段冲泻质的粗颗粒,到下游河段河床中可能已大量存在,这样上游河段冲泻质中的粗泥沙就变为下游河段的床沙质了。即使是在同一河段，由于汛期和非汛期的水流条件不同，底沙组成也可能是变化的。

1.2.16 什么是泥沙的起动条件？常用什么表示？起动的方式如何？促进泥沙起动及抗拒泥沙起动的力各有哪几种？

床面上的泥沙颗粒由静止状态变为运动状态的临界水流条件，叫做泥沙的起动条件。多用平均流速表示，它称为起动流速。起动的方式，可以是滚动跃进的，也可以是腾空而起成为悬移状态的。促成泥沙起动的力主要有上举力、推移力、脉动压力等。抗拒泥沙起动的力主要有有效重量产生的重力、粘结力等。

1.2.17 悬移质含沙量的分布有什么特点？

悬移质含沙量沿水深的分布是不均匀的，就一般情况来讲，悬移质的含沙量，水面最小，河底最大，自水面向河底逐渐增加。泥沙颗粒越细沿垂线分布越均匀；颗粒越粗，就越不均匀。悬移质沿横向(河宽)分布也是不均匀的。横向分布的均匀程度，主要取决于泥沙粒径、颗粒级配及水流情况。悬沙中的床沙质，受水力条件的影响，由于流速分布不均，其横向分布也不均匀。悬沙中的冲泻质由细颗粒组成，横向分布比较均匀。悬沙沿河长的分布也是不均匀的，主要受水流比降、流量及边界条件的影响。

1.2.18 什么叫水流挟沙力？其大小取决于什么？

当河床处于不冲不淤的相对平衡状态时，在一定的水沙条件下，水流中挟带的床沙质数量，叫做水流挟沙力。它的大小取决于水流条件和床沙组成条件。

1.2.19 写出从能量平衡观点建立的水流挟沙力公式。

从能量平衡观点出发，建立的水流挟沙力公式为：

$$S_* = K\left(\frac{v^3}{gH\omega}\right)^m$$

式中 S_*——水流挟沙力,kg/m^3;

v——断面平均流速,m/s;

H——水深(水力半径),m;

ω——沉速,cm/s;

K、m——与$\frac{v^3}{gH\omega}$有关的系数。

1.2.20 简述高含沙水流对防洪有何影响?

高含沙水流常伴随剧烈的冲淤现象,有时会引起河道的“揭底冲刷”,造成险工地段严重抢险,对防洪很不利。如1977年7月,在黄河花园口段,高含沙水流形成了窄深的河槽,个别地方主槽宽仅200~300m,单宽流量达20~30m^2/s,水流集中,冲刷力强,险工不断出现险情,给工程的防护带来很大困难。又如1977年8月高含沙水流时,花园口以上的驾部,在洪水涨水过程中,水位突然下降0.7~1.3m,几小时之后水位又在1.5小时内陡涨2.84m,给防洪造成了很大威胁。

1.2.21 高含沙水流时易出现哪几种水流现象?

高含沙水流常伴随出现的水流现象有揭河底冲刷现象、浆河现象和阵流现象。

第三节 河床演变

1.3.1 简述山区河流的一般特点。

山区河流的发育过程以下切为主,河道断面常成发育不完全的“V”字形或“U”字形。两岸谷坡陡峻，河面比较狭窄，中水河床和洪水河床没有明显的界线。山区河流的平面形态极为复杂，急弯卡口比比皆是，两岸和河心常有巨石，岸线不规则。它的河床纵剖面一般比较陡峻，比降一般在1%以上。多急滩深潭，落差集中处，形成瀑布。河谷多为岸石组成，河床一般比较稳定。山区河流洪水暴涨暴落，水位和流量变幅大，洪水持续时间短，枯水历时长，缺少稳定的中水期。

1.3.2 平原河流一般有哪些特点？

平原河流流经土质松散的平原区，它的形成过程主要表现为河流的堆积作用。河床形成深厚的冲积层，河口淤成广阔的三角洲。平原河流的河谷断面形态较为宽阔，宽度往往达数公里或数十公里，为主槽和滩地组成的复式断面。它的纵剖面多为下凹曲线，纵剖面上无显著的台阶变化，但存在深槽与浅滩相间的起伏。纵剖面比较平缓，因而水面比降较小，一般缓于1‰，甚至缓于1‱。如黄河下游的河道比降为3‱～1‱，长江下游为1‱～0.2‱，长江荆江段仅0.42‱～0.56‱，汉江下游为0.39‱～0.56‱。由于水面比降缓，水流的平均流速也不大，一般为2～3m/s，没有跌水及水跃。平原河流与山区河流相比，水位、流量变幅均较小，水源丰富，流量在年内的分配比较均匀，有稳定的中水期。河床由细颗粒泥沙组成，易于冲刷，在水流的作用下，河床演变的速度较快。平原河流的含沙量视供沙情况而异。在无支流汇入的河段，含沙量及泥沙粒径有明显的沿程递减的趋势，但一般变化不大。由于泥沙淤积，长距离内河床普遍升高，升高的速度与含沙量的大小有关。黄河下游平均每年淤高5～10cm，长江下游多年平均升高不足1cm。

1.3.3 平原河道按照平面形式及演变过程可分成几种类型的河段?

平原河道按照平面形式及演变过程可分成四种类型的河段:①弯曲型(蜿蜒型);②分汊型(交替消长型);③散乱型(游荡型);④顺直型(边滩平移型)。

1.3.4 河床演变的一般形式是什么?

就河床演变的一般形式而言,可分为纵向变形和横向变形两类。纵向变形表现为河床纵剖面的冲淤变化,如上游河段的下切和下游河段的上升等。横向变形表现为河床在平面上的摆动,如河弯的发展和汊道的兴衰等。在天然河道中,这两种变化是交织在一起的。河道演变就其发展过程而言,即河道随着时间的变化,可分为渐进的单向变形和循环的往复变形两类。渐进的单向变形是指河床在相当长的时间内逐渐向一个方向作冲淤变化,如下游河道的不断淤积抬高、河口三角洲的不断向外延伸等。循环的往复变形是指在较短的时期内,河床作循环往复的冲淤变化,如河弯在若干年内的发展和消亡,汊道在若干年内的兴衰交替等。

1.3.5 河道发生淤积或冲刷的根本原因是什么?

河道发生冲刷、淤积的根本原因是由于输沙的不平衡。对于任何一个河段,在一定的水流条件下,水流具有一定的挟沙能力。如果上游来沙量与水流挟沙力相适应,则水流处于输沙平衡状态,河道不冲不淤。如果来沙量与水流挟沙力不相适应,则水流处于输沙不平衡状态,河床即发生相应的冲淤变化。当来沙量大于水流挟沙力时,过多的泥沙将逐渐沉积下来,使河床淤高;当来沙量小于水流挟沙力时,不足的泥沙由河床得到补充,使河床冲深。

1.3.6 河床演变的基本原理是什么?

由于来沙与输沙不平衡而引起泥沙发生淤积或冲刷,造成河床变形,这就是河床演变的基本原理。河床的纵向变形是由纵向输沙不平衡引起的,河床的横向变形,则是由于横向输沙不平衡引起的。

1.3.7 什么是河床的自然调整作用?

河床的冲淤变化是由于输沙平衡破坏而产生的,而河床冲淤变化又是向着恢复输沙平衡的方向发展,这种现象称为河床的自动调整作用。

1.3.8 影响河床演变的主要因素是什么?

影响河床演变的主要因素有:①河段的来水量及其变化过程;②河段的来沙量、来沙组成及其变化过程;③河段的河道比降及其变化情况;④河段的河床形态及地质情况。

1.3.9 河床演变的分析方法主要有几种?

分析河床演变的方法主要有 4 种:①对天然河道的实测资料进行分析;②运用泥沙运动的基本理论和河道演变的基本原理,对河床变形进行理论计算;③通过河工模型试验,对河道演变进行预测;④利用条件相似河段的实测资料进行类比分析。以上方法可单独使用,也可联合运用各种方法进行比较,以得到一个确切可靠的认识。

1.3.10 如何利用天然河道实测资料分析方法分析研究河床演变?

利用天然河道实测资料分析方法研究河床演变时,要进行:①

河道平面变化分析。要收集实测资料，如历年河势图、河道地形图、主流线套绘图、滩岸线的变化、江心洲的变化等。通过整理分析，找出平面变形的特点和规律，从而预估未来的发展趋势。②河道的纵向变化及冲淤量估算。根据历年实测资料，点绘历年的河底平均高程线、水位～流量关系曲线、历年同流量的过程线等，来判断河床是处于冲刷还是淤积状态、冲淤变化的特点及趋势等。并可利用输沙率法或断面法推算冲刷或淤积的数量。③来水来沙分析。根据多年的水位、流量、含沙量、输沙率等资料，求出多年平均的流量、输沙率、来水量、来沙量、含沙量、来沙系数以及泥沙组成的特征值 d_{50}、$d_{平均}$等。结合所分析年份的情况，确定属于什么特点(如大水大沙、小水大沙)的年份。通过流量过程线及含沙量过程线的分析，确定发生冲淤变化的具体原因。④河床边界条件分析。河床边界条件反作用于水流，限制、影响河道的变化。在相同的水沙条件下，边界条件影响河床演变的速度及发生变化的形式。河床由粘性土组成时，抗冲性就强；河床由砂性土组成时，就易于冲刷变形。长江中下游有些河段的河岸上部为粘土，下部为砂土，常以崩岸的形式变化。按计划修建的河道整治建筑物，也影响、控制河道的变化。

1.3.11 什么是输沙率法？什么是断面法？如何用其计算河段的冲淤量？

河段的冲淤量，是利用水文站实测的输沙率资料及河道大断面资料计算出来的。根据输沙平衡原理，计算同一时段内上下两水文站的输沙量之差，即为本时段内两水文站断面间的河道冲淤量，该法称为输沙率法。当上游水文站来沙量大于下一水文站输沙量时，说明该河段发生了淤积；反之，发生了冲刷。当两水文站间有支流汇入和引水渠引水引沙时，河段冲淤量用下式计算：

$$W_1 + W_2 - W_3 - W_4 = \pm \Delta W$$

式中　W_1——上站来沙量；

W_2——支流来沙量；

W_3——下站输沙量；

W_4——引水渠引沙量。

“+”表示淤积，“-”表示冲刷。当无支流汇入或无引水渠时，W_2 或 W_4 取 0 即可。

利用河道大断面的实测资料推求河段的冲淤量，是通过比较两次大断面图，求得该断面的河槽冲淤量、滩地冲淤量及全断面冲淤量。由两个大断面的冲淤量及断面间距即可算得断面间相应时段的冲淤量，该法称为断面法。其具体做法是：①每一个断面，选择一个统一的高程作为断面冲淤计算的基准面。该高程应能在一个很长的时期内，高于可能出现的最高水位。②分别计算基准面以下各个测次的断面面积，并求出相邻两测次的断面面积之差。③相邻两断面面积之差的平均值与断面间距之积即为断面间的冲淤量。④将河段内各个“断面间的冲淤量”相加，即得该河段的冲淤量。⑤根据计算结果，绘制冲淤变化图。由图可直观看出冲淤的沿程变化。

1.3.12　什么是造床流量？

造床流量是指塑造河床形态的流量。它是一个虚拟的流量，其造床作用相当于多年流量过程的综合造床作用。在实际应用中，常以中水河槽的平槽流量作为造床流量。

1.3.13　举例说明河道的稳定性指标表示方法。

(1)以纵向稳定系数和横向稳定系数及洪峰变差系数表示的河型判数 Φ：

$$\Phi = \left(\frac{D}{hJ}\right)\left(\frac{h'}{B^{0.8}D^{0.2}}\right)^{3.62}\left(\frac{1}{C_v}\right)^{0.756}$$

式中　Φ——河型判数；

D——床沙平均粒径；

h'、B、J——满槽时水深、河宽及河床比降；

h——造床流量时的平均水深；

C_v——洪峰流量变差系数。

当 $\Phi<0.1‰$时为游荡型，当 $0.1‰<\Phi<5‰$时为分汊型，当 $5‰<\Phi<5‰$时为蜿蜒型，当 $\Phi>5‰$时为顺直型。

(2)用纵向稳定性和横向稳定性组成的综合稳定性指标 Z_w 表示：

$$Z_w = X_* \cdot Y_*$$

$$= \frac{1}{i}\left(\frac{\gamma_s - \gamma}{\gamma} \cdot \frac{D_{50}}{H}\right)^{\frac{1}{3}}\left(\frac{H}{B}\right)^{2/3}$$

当 $Z_w<5$ 时为游荡型，当 $5\leqslant Z_w\leqslant 15$ 时为分汊型，当 $Z_w>15$ 时为弯曲型。

1.3.14　描述河床横断面河相关系的常用表达式是什么？

描述河床横断面河相关系的常用表达式为：

$$K = \frac{\sqrt{B}}{H}$$

式中　B、H——造床流量时的河宽及平均水深，m；

K——横断面河相系数。

一般是蜿蜒型河段的 K 值最小，游荡型河段的 K 值最大。

在水流漫滩之前，同一频率流量下沿程断面具有以下关系：

$$B = \alpha_1 Q^{\beta_1}$$

$$H = \alpha_2 Q^{\beta_2}$$

$$V = \alpha_3 Q^{\beta_3}$$

通过点绘流量与河宽、水深、流速之间的关系，即可求得诸 α、β 值。

1.3.15 何谓顺堤行洪？

在两岸堤距宽的河段，由于洪水漫滩时，泥沙首先在滩唇淤积，形成两边的滩唇高、滩面向堤根倾斜的地势，还由于修堤时在堤防临河侧取土，也降低地面高程等原因，在靠近堤脚形成的狭长地带，称为堤河。漫滩洪水在滩面上冲蚀形成的沟槽，称为串沟。串沟与堤河相连。顺堤行洪是指洪水漫滩或串沟走溜引起的堤河通过较大流量的现象。这些平工堤段除部分修有防护坝的堤段外，抗御水流冲刷的能力很弱，洪水漫滩后应加强防守。

1.3.16 简述弯曲型河道的特点及利于形成弯曲型河道的条件。

弯曲型河道是由正反相间的、曲率达到一定程度的弯道和介于其间的长短不等的过渡段（或称直线段）连接而成的。其河道曲折蜿蜒，一般多为单股，很少分汊，深槽紧靠凹岸，边滩依附凸岸，凹岸冲刷，凸岸淤长，河身向下游弯曲蛇行。下列条件利于形成弯曲型河道：①河岸的土质及其结构方面。由粘性土组成的河岸，坚固耐冲，凹岸冲刷甚微；河岸由抗冲性很差的中细砂组成时，在水流作用下，易于发生严重崩岸。这两种情况不利于形成弯曲型河道。当河岸能被冲刷，且稳定性又大于河底时，有利于形成弯曲型河道，如长江的下荆江河段，河床边界为二元结构，下层为易冲刷的砂土，上层是难以冲刷的粘土，坍塌后能在一定时间内掩盖下层砂土免受冲刷，稳定性大于河底，形成了典型的弯曲型河段。②河段的床沙质输沙基本平衡，有利于弯曲型河段的形成。一般凹岸坍塌冲刷的泥沙量接近于凸岸的淤沙量，纵向输沙基本平衡，弯道内的泥沙交换主要是横向的。③在来水条件方面，中水期时间长，流量变幅不大，出现弯道环流的机遇较多，利于形成弯曲型河道。④洪水期比降平缓，滩面有植被不易切滩，也有利于形成弯曲型河段。

1.3.17 螺旋流是怎样形成的?

水流流经弯道时,在重力和离心力的作用下,表层水流流向凹岸,底层水流折向凸岸,形成横向环流。横向水流与纵向水流结合在一起,便形成了螺旋流。

1.3.18 弯道环流横比降是怎样形成的?

在弯曲河段,水流沿着河弯作曲线运动时,产生离心力。由于水流的流速沿垂线分布不均,表层流速大,底层流速小,河底处等于零,因而在水流沿弯道运动时,表层水受到的离心力大,底层水受到的离心力小。在离心力的作用下,表层水流便趋向凹岸,致使凹岸水位升高,凸岸水位降低,这便形成了弯道水面横比降。

1.3.19 何谓主流线?洪、枯水期它在弯段的变化特点是什么?

河道中沿流程各断面最大垂线平均流速处的连线,称为水流动力轴线,也称为主流线或主溜线。水流进入弯道后,主流趋向凹岸。主流逼近凹岸的位置叫顶冲点(或叫着溜点),在以下相当长的距离内,主流贴近凹岸。洪、枯水期弯道内主流线变化的特点是:枯水期主流线靠近凹岸,顶冲点上提;洪水期主流线向河心侧转移,顶冲点下挫。即所谓“低水傍岸”、“高水居中”,“小水上提”、“大水下挫”的特点。

1.3.20 弯道内水流的输沙特点是什么?

弯道内的泥沙运动,与螺旋流关系极为密切。在横向环流的作用下,表层含沙量较小的水流不断流向凹岸,冲刷河岸及河底,形成深槽;而底层含沙量大的水流流向凸岸,落淤沉沙,甚至撇下嫩滩。由于横向输沙不平衡及纵向水流的作用,造成凹岸不断坍塌,凸岸边滩不断淤长延伸。

1.3.21 简述弯曲型河道的河床演变规律。

由于横向和纵向的输沙不平衡,致使河床在横向及纵向都处于不断的变化之中。从平面上看,在横向环流的作用下,凹岸坍塌后退,凸岸淤积延伸。随着凹岸的坍塌,弯曲半径变小,中心角增大,河身加长,整个河弯有向下游蠕动的趋势。当这种演变发展到一定程度时,在天然河道中往往出现"S"形河弯。在同一岸相邻的两个弯顶之间的距离逐渐缩短,形成很大的河环。在洪水漫滩时,河环的狭颈处就可能被冲开,形成新河,这就是自然裁弯。裁弯后,新河流程短,比降陡,流速快,水流挟沙能力大,同时由于口门紧接上一弯道的凹岸,流入表层较清的水,冲刷力强,因此新河断面会迅速展宽加深;而老河道流程长,比降缓,流速慢,水流挟沙能力小,同时流入的多是底层的较浑的水,老河道迅速淤积,甚至断流。老河道的淤积主要集中在口门以下的上游段;老河道的尾部由于新河的顶托、倒灌、回流的影响,淤积也比较严重;而老河道的中段淤积很少,逐渐成为与新河分离的牛轭湖。新河发展成为通过全河流量的单一河道后,又会重复上述的演变过程。在弯曲型河段除了弯道的发展和消亡过程外,在一定的边界条件和水沙条件下,还存在着长期"稳定"和撇弯切滩现象。如当河弯的发展受到限制而形成曲率大的河弯时,更易于发生凹岸撇弯、凸岸切滩的现象。从纵向看,表现为凹岸深槽和过渡段浅滩在年内互相交替的冲淤变化。枯水期过渡段浅滩冲刷,凹岸深槽淤积。洪水期过渡段浅滩淤积或稍冲,凹岸深槽发生强烈冲刷。

1.3.22 游荡型河段河道形态的主要特性是什么?

游荡型河段河道形态的主要特性是:其平面形态表现为河身宽浅顺直,在较长河段内往往宽窄相间,呈藕节状。窄段水流集中规顺，对下游河势有一定的控制作用；宽段水流散乱，汊道交织，沙洲密布，河床变化迅速，主流摆动不定。河段的弯曲度较小，弯曲系数略大于1.0，如黄河高村以上为1.15左右，永定河下游的游荡型河段为1.18左右，比弯曲型河段的弯曲系数要小得多。其横断面十分宽浅，河相系数 $K=\frac{\sqrt{B}}{H}$ 远大于弯曲型河段。游荡型河段的滩槽高差很小。游荡型河段的河床比降一般较弯曲型河段大，如黄河高村以上的游荡型河段一般为2.7‰～1.6‰。

1.3.23 简述游荡型河道的水沙特性。

游荡型河道往往是水少沙多，年径流量小，而输沙量和含沙量大，洪水暴涨暴落，水沙在年内的分布极不均匀。在相同流量下，含沙量变化较大，流量和含沙量关系不密切。由于比降较陡，水流较急，流速较大，有些河段有时还出现"淦""涟子水"等水面现象。

1.3.24 形成游荡型河道的条件是什么？

游荡型河道形态方面的特征是水流散乱，演变方面的特征是主流摆动不定。形成游荡性河型的根本条件是河床的堆积。对于一定的流量来说，水面比降陡，水流强度大；对于一定的水流强度来说，组成河床（包括河岸和河槽）的物质为颗粒较细的散体泥沙，易冲易淤，在较大强度的水流作用下，不仅河岸会发生严重冲刷，使河身变得宽浅，而且洲滩的消失和运动速度必然加剧，造成水流散乱和主流摆动不定的局面。在来水方面，洪、中、枯水变幅大，洪峰陡涨陡落；在来沙方面，颗粒组成及含沙量变化大，以及在同流量下含沙量变化大等，都有利于形成游荡型河道。

1.3.25 简述游荡型河道河床演变的一般规律。

游荡型河道的河床演变是极其复杂的，但也有一定的规律性，主要表现为以下几个方面：

(1)在多年平均的情况下，河床不断淤积升高，在淤积严重的情况下，即会形成“悬河”。如黄河秦厂至高村河段，1950～1972年，河床升高的速度为5.9～9.7cm/a，其淤积速度是相当惊人的，现已成为世界闻名的“悬河”。苏联的阿穆达里亚河下游努库斯附近的游荡型河段河床平均上升速度为1.3cm/a。

(2)在年内的一般变化规律是汛期主槽冲刷，滩地淤积；非汛期主槽淤积，滩地坍塌。在滩地淤积时滩唇淤的高，滩面淤的低，距滩唇愈远，落淤愈少，滩面形成横比降。滩槽高差为汛后大，汛前小，但在较长的时段内，滩槽高差变化不大。游荡型河段年内的冲淤厚度，在较长的河段内变化不是太大，但在较短的时间内，就某一局部地区来说，一次冲淤可达相当大的数字，如黄河下游险工附近，一次冲淤可达10m以上。

(3)一次洪水变化过程中，主槽一般遵循“涨水冲刷，落水淤积”的规律；而滩地相反。

(4)在平面变化上，表现为河势变化剧烈，主流摆动不定，且变幅很大，主槽位置也相应频繁移位。由于游荡型河段易冲易淤，有时会出现难以预料的演变情况。

1.3.26 游荡型河段汛期槽冲滩淤，非汛期则相反的原因是什么？

游荡型河段为复式河床。床沙颗粒细，主槽糙率 n 值小，而滩地多为植物覆盖，糙率 n 值大。如黄河下游的游荡型河段，主槽的糙率为0.01左右，而滩地一般在0.04以上。主槽的流速远大于滩地流速，水流的挟沙能力则悬殊更大，这就为汛期漫滩后淤滩刷槽创造了条件。在汛期洪水漫滩后，流速变小，挟沙能力降低，致使泥沙在滩地落淤；在滩地落淤后的“清水”流进主槽后，降低了主槽水流的含沙量，促进主槽冲刷。随着主槽、滩地水流的交换,不断地将主槽内的泥沙搬到滩地,造成汛期槽冲滩淤的规律。在黄河下游,这种槽冲滩淤的情况往往延伸很长的距离。如汛期出现漫滩洪水,滩面总要有所抬高。在非汛期流量较小,虽然出现滩冲槽淤现象,但滩区不会发生面蚀,滩地冲刷是落水时滩坎坍塌后退,或聚流成沟,发生沟蚀,造成滩地冲刷;这些泥沙被水流带进主槽,往往使主槽发生淤积。但在水库下游的游荡型河道,其冲淤规律直接受水库运用方式的影响,情况比较复杂。

1.3.27 造成游荡型河道主流摆动的原因是什么?

造成游荡型河道主流摆动的主要原因是:①河槽淤积抬高,串沟(汊道)夺流。在沙滩密布、串沟(汊道)交织的河槽中,主流所经过的河槽本来比较低,由于淤积,河槽抬高,水位上升。在大水时滩岸对水流的控制作用减弱,水流便可能转向较低和较顺直的串沟,在一定的水沙条件下,串沟(汊道)发生冲刷,原河槽淤积,主流沿串沟行进,造成主流摆动。②洪水漫滩,主流改道。洪水漫滩之后,滩岸对水流的控制能力大大减弱,水流因惯性作用,弯曲度降低,主流离岸趋中,漫滩前曲率大的河段,在滩地上,尤其在低滩上,易于冲出一条新的河槽,并发展成为主流,造成河势摆动。③滩地移动造成主流变化。在游荡型河段沙滩密布,床沙较细,在水流的作用下易冲易淤。这些心滩、边滩的移位、冲刷切割,都可能引起主流的变化。④上游主流方向的改变。当上游段的主流线位置、方向发生变化时,会直接影响下游河段主流流路,引起主槽变化,即所谓一弯变、多弯变的河势变化规律。

1.3.28 分汊型河道可分为哪4种型式?其基本特点是什么?

分汊型河道按其平面形态及其入口的水流条件可分为:①顺直分汊型河道。其基本特点为汊道平面形态较顺直对称,水流进入两汊道比较平顺,其分流角大体相等。②弯曲分汊型河道。其基本特点是，平面形态为一平顺河弯，主汊道多位于凹岸一侧，但也有位于凸岸一侧的，主流进入主汊道比较顺畅。③弓形分汊型河道(图 1-2)。其基本特点为直汊道与上游河段平顺衔接，侧汊道外形为弯弓状，进入其中的水流与主河道成一较大的交角。④复杂分汊型河道(图 1-3)。其基本特点为汊道数目众多，平面形态和入口处水流条件均较复杂。

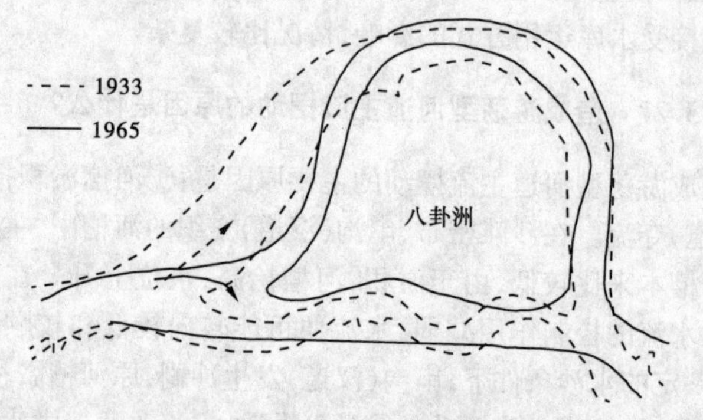

图 1-2　长江八卦洲分汊型河段

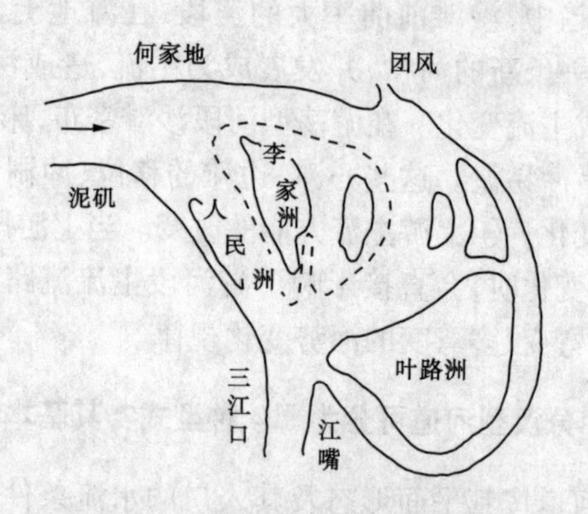

图 1-3　长江团风分汊型河段

1.3.29 简述顺直分汊型河道的形成及演变规律。

顺直分汊型河道一般都是河岸均匀展宽后,泥沙堆积成江心滩,进而发展为江心洲而形成的(图 1-4)。其基本演变规律主要表现在汊道的交替发展和衰退。交替的原因往往是汊道入口处的水流条件。如一个汊道入口处的水流受阻,进入该汊道的流量就减小,水流挟沙能力相应减弱,泥沙不断淤积,此汊道就衰退。另一汊道水流畅通,水流挟沙力强,汊道不断冲刷,处于发展过程之中。

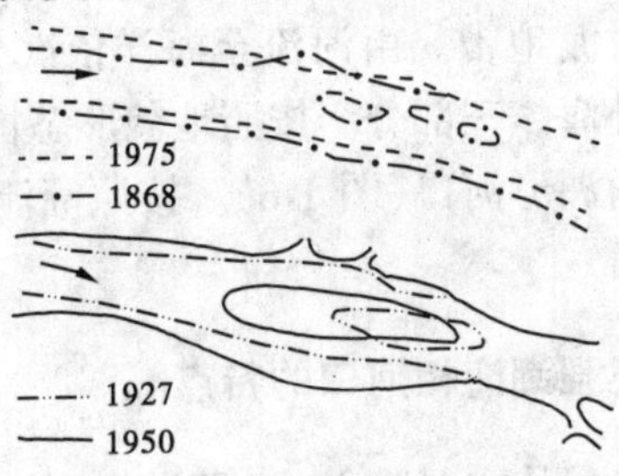

图 1-4　长江新堤分汊型河段

1.3.30 简述弯曲分汊型河道的形成及演变规律。

弯曲分汊型河道多由顺直分汊型河道发展而成,也有的是由于水流切割弯道凸岸边滩而形成。如河道两岸土质组成不同,一岸为较难冲刷的硬质土,另一岸为易冲刷的松软土,在水流的作用下,土质松软的汊道逐渐被冲刷,发展成弯曲型汊道,汊道入口处,在横向环流的作用下,进入凹岸一侧汊道的水流含沙量较小。在一般情况下,凹岸汊道与上游水流连接平顺,进入的流量和水深较大。因此,凹岸汊道一般发展较快,成为主汊道。当凹岸侧为耐冲刷的土质时,两汊道会相对稳定下来。若主汊凹岸为易冲刷的河漫滩时,在水流的作用下,弯道不断发展,弯顶逐渐下移,江心洲逐渐向凹岸淤长。当弯道变得非常弯曲时,平面形态像鹅头一样,主汊进口处水流阻力加大,壅水严重,泥沙不断淤积,使进入主汊的流量逐渐变小。这样主汊转向衰退阶段;次汊相应由衰退转向发展,进而发展为主汊道,开始下一个周期的主、次汊道的演变。图 1-5 为长江陆溪口汊道 1861～1960 年的演变情况。

1.3.31　何谓河口区?它分为哪几段?按照地貌形态及潮流的强弱可分别分为哪几种类型?

河口区是指河流与海洋(或水库、湖泊、河流)的连接区域,即从河流到海洋的过渡地带。由河流至海洋依次分为河流近口段、河流河口段及口外海滨三部分。按照地貌形态特征可分为漏斗形(喇叭口形)和三角洲形河口(图 1-6)。按照潮流的强弱可分为强潮河口和弱潮河口。

1.3.32　简述强潮海相河口的特点。

强潮海相河口的特点是潮差大,河道容积大,潮流强;潮流挟带的陆相泥沙量甚小,泥沙主要来自口外海滨。潮流上溯过程的递减率较大,河宽和过水断面也随之迅速减小,河床的放宽率较大,平面上呈喇叭形。如钱塘江河口。由于涨落流速很大,一般无拦门沙出现。

1.3.33　简述弱潮陆相河口的特点。

弱潮陆相河口的特点是潮流弱,径流相对较强,潮差小,潮流速也较小。河床向下游均匀展宽,放宽率不大。落潮流速常大于涨潮流速。在来沙丰沛的情况下,口门附近或口外往往形成拦门沙。河身不断淤积、延伸、抬高。遇大洪水就可能发生改道。这样周而复始,塑造出众多汊流,迅速向外延伸,形成三角洲平原。黄河河口就是这类河口的典型例子。

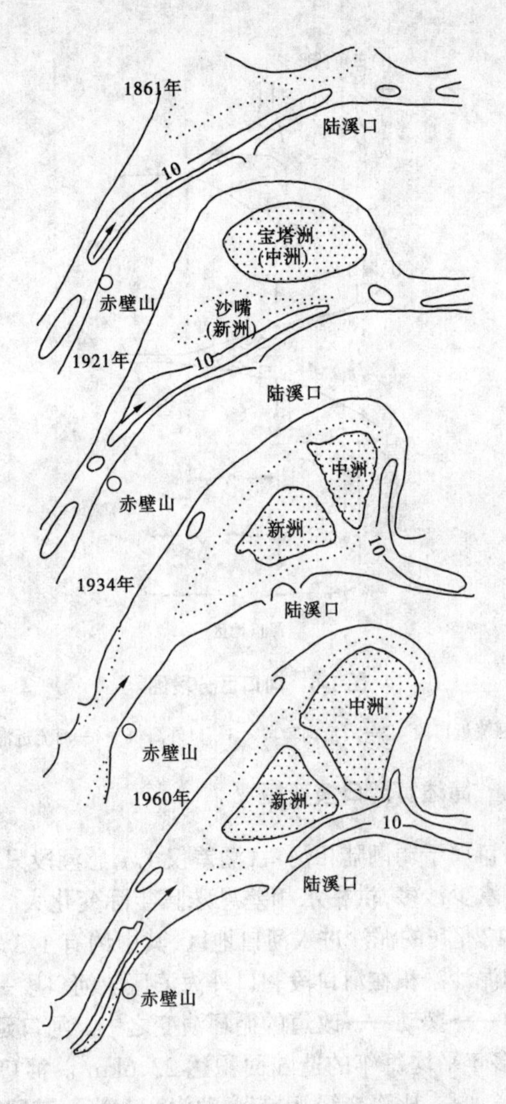

图 1-5　长江陆溪口汊道历史演变图

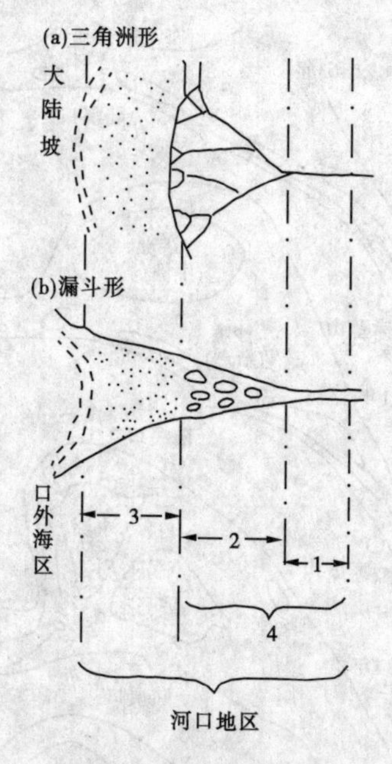

图 1-6　河口区分段图

1—河流近口段　2—河流河口段　3—口外海滨　4—河流近海段

1.3.34　简述黄河口演变概况。

黄河河口属于弱潮陆相河口，潮差仅 1m，感潮段只有 20 余公里。河口区水少沙多，洪枯水相差悬殊且年际变化大。每年平均一般有 9～12 亿 t 的泥沙进入河口地区，其中约有 1/3 输往外海，其余 2/3 的泥沙淤积在河口段和口外海滨区。河口段一直处于淤积──→延伸──→摆动──→改道的循环演变之中。河口延伸造陆的速率很大，多年平均每年的造陆面积达 23.6km^2。河口沙嘴淤积延伸后，河道加长，比降变缓，引起溯源淤积。当河道摆动改道后，流程缩短，比降变陡，引起溯源冲刷。河口段对泺口以下长 200km 的河道产生直接影响。在溯源淤积和溯源冲刷的交替过程中，以淤积为主,所以总的趋势是河道向海中延伸。

第四节　河道整治规划设计

1.4.1　略述河道整治的重要性。

河道对人类的生产、生活有着巨大的影响,人类对河道的要求随着社会的发展而日益提高。因此,必须对河道进行整治,发展其有利的一面,除去其有害的一面。河道整治与社会主义建设事业息息相关,与国民经济各部门的要求紧密相连。

首先,防洪需要河道整治。河道整治工程是防洪的工程措施之一。如在黄河下游的游荡型河段,由于泥沙淤积,河床不断抬高,心滩密布,主流摆动不定,当出现"横河"顶冲堤防时,就会造成抢险,危及堤防的安全。因此,整治河道、控导主流是保证防洪安全的重要工作。

其次,航运需要河道整治。航道、港口、码头要求河道水流平顺,不过度弯曲,无过窄卡口,深槽稳定并要求有一定的航深、航宽及流速,这些只有通过河道整治来实现。

第三,引水工程及滩区农业生产需要河道整治。涵闸等引水工程要求有稳定的取水口。滩区群众要求有稳定的河势。如黄河下游,有 90 多座引黄涵闸,抗旱、灌溉面积达 200 多万公顷。过去有些涵闸因河势突变而无法引水,不得不耗用大量的人力、财力去开挖引河,河势的变化还会再次破坏引水条件。据统计,1967 年前黄河下游塌滩年平均达 6 000 多公顷,1949～1972 年在 400 多公里的河段内,掉河村庄达 256 个。

另外,桥渡处要求上下游水流能平顺衔接,浮运竹木要求有足够的水深和流速,这些都要求进行河道整治。因此,河道整治在国民经济中具有重要的作用。

1.4.2 河道整治规划的原则是什么?

河道整治规划的原则是全面规划,综合治理,因势利导,重点整治,因地制宜,就地取材。全面规划就是要有全局观点,对河道的上下游、左右岸、干支流统盘考虑,照顾各部门的要求,在使整体获得最大效益的前提下,合理安排整治措施。综合治理就是要结合具体情况,采取各种整治措施进行治理,如修建控导工程、裁弯、塞支强干、疏浚、淤截堤河串沟等。因势利导就是要充分研究河道的演变规律,掌握河道特性,稳定有利河势,改善不利河势,不失时机修建工程。按照因势利导的原则,往往可以取得事半功倍的效果。重点治理是由河道整治的战线长、工程量大、投资大、工程防守等条件决定的。规划中必须分清主次,按照轻重缓急有重点地进行,优先安排关键性的工程。因地制宜就是按照水沙及边界条件、建筑材料等条件确定整治措施,选用工程的布局及结构型式。就地取材是由河道整治工程的规模大、用工用料多、交通不便等因素决定的。为了减轻运输负担,争取时间,节约投资,必须就地取材。

1.4.3 编制河道整治规划大体分几个步骤?

编制河道整治规划的步骤大体为:①根据国民经济各部门的要求,决定河道整治的目的。②收集资料,如社会经济资料、水文泥沙资料、地形地质资料、已建河道整治工程的情况及河道整治的经验教训等。③河势查勘和调查访问。④分析整理已有资料,按照整治目的,编制若干规划方案。⑤必要时进行模型试验。⑥进行方案比较,并论证各个方案的经济效益,选取最优方案。

1.4.4 如何确定河道整治的设计流量?

洪水、枯水、中水河槽的整治要分别采用各自的设计流量。洪水河槽整治的设计流量是根据保护对象的重要程度和受灾后损失的大小,选取某一频率的洪峰流量来确定。枯水河槽的整治主要是为了解决航运的问题,要保持足够的航深,因此首先要确定枯水位。确定枯水位的方法有两种,一是根据长系列日平均水位的某一水位保证率来确定,保证率的大小取决于航道的等级,一般采用的频率为90%~95%。另一是采用多年平均的枯水位或历年最枯水位作为枯水河槽整治的设计水位。而后按此水位求出相应的流量,即为枯水河槽整治的设计流量。中水河槽是在造床流量作用下形成的,因此中水河槽的治理,是相应于造床流量时的河槽治理,所以造床流量即为设计流量。目前多采用平槽流量作为造床流量。由于造床流量不仅随时间变化,而且沿程不尽相同,因此只能选取相对平衡时的平槽流量作为造床流量,即作为中水河槽整治的设计流量。

1.4.5 何为整治河宽?如何确定整治河宽?

整治河宽是指经过河道整治后与设计流量相应的直河段的河槽宽度。对于以防洪为目的的河道整治,确定整治河宽时,必须保持河槽有充分的排洪能力。确定整治河宽的方法有两种。一是计算法,即用水流连续公式、河相关系公式及流速公式等求解整治河宽。二是统计分析法,即通过对已有资料的统计分析确定整治河宽。虽然计算法的公式由推导得出,但由于公式中的糙率 n、河相关系系数 K 是凭经验确定的,且变化范围很大,计算出的河宽有很大变幅,所以计算的结果多作为确定河宽的参考。实际工作中常常采用统计分析法确定。如黄河下游主要是通过统计花园口等水文站断面多年主槽河宽及相应的过流能力,确定不同河段的整治河宽值为：高村以上的游荡型河段为 $B=1\ 000\text{m}$；高村至孙口的过渡型河段为800m；孙口至陶城铺的过渡型河段为600m；陶城铺以下的弯曲型河段为500m。

1.4.6 何谓排洪河槽宽度？

按照规划进行河道整治后，一处河道整治工程的末端，至上弯整治工程末端与下弯整治工程首端连线的距离，称为该处河道整治工程的排洪河槽宽度 B_f，简称排洪河宽，如图1-7所示。以防洪为目的的河道整治，修建的河道整治工程除能控导中常洪水和一般流量下的河势、有利于防洪工程安全外，还必须保证在大洪水及超标准洪水时过流通畅，且有足够的过洪能力。现阶段黄河下游游荡型河道整治时排洪河宽取为2.5～2.0km。

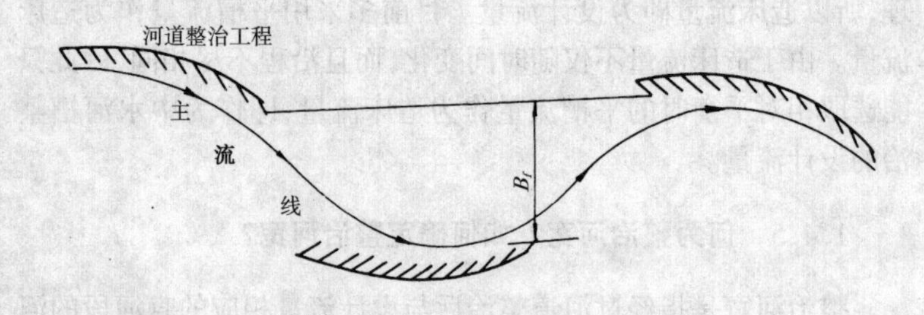

图1-7 排洪河槽宽度示意图

1.4.7 何谓治导线？确定治导线的基本原则是什么？

治导线也叫整治线，是指河道经过整治以后，在设计流量下的平面轮廓线。确定治导线的基本原则是水流沿这样的治导线流动时，国民经济各个部门所取得的综合效益最大。当某些部门的要求互相矛盾时，一定要以整治的主要目的为主，照顾一般要求，才能收到最好的效果。

1.4.8 治导线有哪几种类型?

根据设计流量的大小,治导线可分为洪水治导线、中水治导线和枯水治导线。洪水治导线,仅在设计堤防确定堤线位置时考虑,一般要使堤线与中水河槽的岸边线大致平行,以免发生滩地水流横截中水河槽,造成局部河段的严重淤积和冲刷。中水治导线是指按造床流量进行河道整治的治导线。控制了造床流量下的水流,一般即可控制整个河道的河床演变。枯水治导线仅能控制枯水河床,它以集中水流为原则,为航运服务。在确定枯水治导线时,应尽量利用较稳定的边滩和江心洲。枯水流向与中水、洪水流向的交角不易过大,以免中水、洪水期淤塞河槽,保持优良的航道通航条件。

1.4.9 如何表示治导线?

治导线描述的是一种流路。由于影响河道流路的因素多、变化快,这种流路不是一成不变的,随着时间的推移,贴靠工程的弯顶部位会有一定幅度的提挫变化,相应在弯顶上下及直河段也产生一定程度的左移右靠。治导线通常用两条平行线表示。实际上在同一边界条件下,弯道段河宽是小于直河段的,且弯道河宽与直河段河宽之比又是一个变数。真正反映河道流路的是主溜线通过的动力轴线,在直河段动力轴线居中,而在弯曲段动力轴线又靠近凹岸,靠近的程度也不易定量确定。流路在空间上受边界条件变化的制约,在时间上受来水来沙变化的影响。目前河道整治还是以经验为主的学科,近阶段的实践表明,用两条平行线组成的治导线表示控导的中水流路,既可满足河道整治的实际需要,又便于确定整治工程的位置,在河道整治中已广为采用。

1.4.10　治导线多采用哪种曲线形式?

治导线在河弯段采用的曲线形式主要有两种:①复合圆弧曲线。如在黄河下游,根据经验推荐采用的复合圆弧曲线是,工程中部采用的弯曲半径较小,下部的弯曲半径较大,上部弯曲半径最大,甚至采用直线。②余弦曲线。长江下荆江河段某裁弯工程就是采用余弦曲线定出引河轴线的。

1.4.11　绘制治导线的步骤和方法是什么?

在规划治导线时,首先要充分进行调查研究,了解历史河势的变化规律,在河势图上概化出2~3条基本流路,根据整治目的,河道两岸国民经济各部门的要求,洪水、中水、枯水的流路情况及河势演变特点等优选出一种流路,作为整治流路。

拟定治导线的一般步骤和方法是:由整治河段开始逐弯拟定,直至整治河段末端。第一个弯道作图前首先分析来溜方向,然后再分析凹岸边界条件,根据来溜方向、现有河岸形状及导溜方向规划第一个弯道。若凹岸已有工程,则根据来溜及导溜方向选取能充分利用的工程段落规划第一个弯道。具体作图时,选取不同的弯道半径适线,绘出弯道处凹岸治导线,并使圆弧线尽量多地切于现有工程各坝头或滩岸线。按照设计河宽缩短弯曲半径,绘制与其平行的另一条线。接着确定下一弯的弯顶位置,并绘出第二个弯道的治导线。再用公切线把上弯的凹(凸)岸治导线与下弯的凸(凹)岸治导线连接起来,此切线长度即为直河段长度。按此绘制第三个弯道的治导线,检查3个弯道间的河弯要素关系……直至最后一个河弯。继而进行检查修改。分析各弯道形态、上下弯关系、控导溜势的能力、弯道位置对当地利益兼顾程度等。发现问题及时调整。一个切实可行的治导线需经过若干次调整后才能确定。

整治河段的治导线拟定后，通过对比分析天然河弯个数、弯曲系数、河弯形态、导溜能力、已有工程的利用程度等论证治导线的合理性。必要时进行河工模型试验，以验证治导线的合理性及可行性。进而依照治导线确定整治工程位置线的位置及长度，并由此计算工程量。

1.4.12　描述治导线的主要要素有哪些？

描述治导线的主要要素有设计河宽 B、弯曲半径 R、河弯中心角 φ、直河段长度 d、河弯间距 L、弯曲幅度 P 及河弯跨度 T 等。各要素的含义见图 1-8。

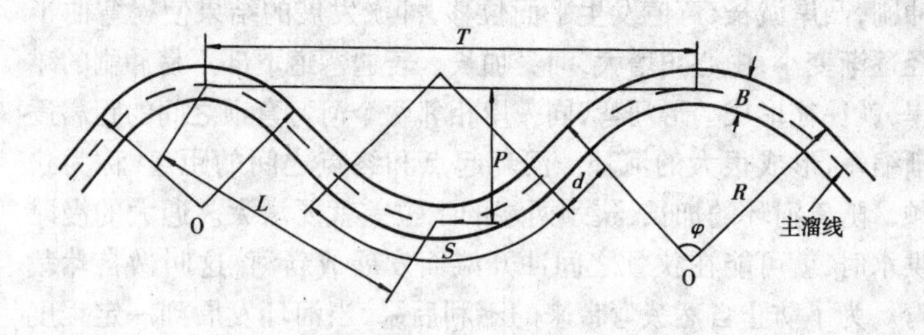

图 1-8　治导线诸要素示意图

1.4.13　说明黄河下游治导线诸要素与设计河宽之间的经验关系。

根据黄河下游河道整治的经验，治导线诸要素与整治河宽（B）一般存在以下关系：

（1）河弯的弯曲半径：

$$R = (2 \sim 5)B$$

（2）两个相邻的弯曲河段之间的直河段长度：

$$d = (1 \sim 3)B$$

(3)两个相邻反向河弯弯顶之间的距离,即河弯间距:

$$L = (5 \sim 8)B$$

(4)两个相邻同向河弯的弯顶之间的距离,即河弯跨度:

$$T = (9 \sim 15)B$$

(5)一处河弯的弯顶至上下相邻的两个反向河弯公切线的距离,即弯曲幅度:

$$P = (2 \sim 4)B$$

1.4.14 何谓自然裁弯?何谓人工裁弯?它的作用是什么?

在河道内由于横向环流的作用,产生横向输沙不平衡,使凹岸冲刷,凸岸淤长,弯道发生平面位移,冲淤发展的结果使得弯曲半径逐渐变小,中心角增大,河身加长。若遇弯道下部不易冲刷的滩岸,就往往形成畸形河弯,同一岸相邻两个河弯弯顶之间的距离逐渐缩短,形成很大的河环。河环起点和终点之间的距离,称为狭颈。随着河环的加长,狭颈两端的水位差就要增大。遇大的漫滩洪水时,就可能在狭颈之间冲开滩面发展成新河,这叫做自然裁弯。为了防止自然裁弯带来的不利后果,当河环发展到一定程度后,采取必要的工程措施,使水流改走狭颈之间的新河,河环的进出口逐渐淤死。这种在人工控制下进行的裁弯,叫做人工裁弯。裁弯之后,河道流程变短,比降变陡,水流的挟沙能力加大;裁弯后可防止大溜顶冲堤岸,有利于防洪,并可增加滩区的耕地面积,缩短流程,利于航运。

1.4.15 如何确定裁弯工程中引河的平面位置?

合理确定引河的平面位置,是裁弯成功的关键因素之一。现就其平面形式、进出口位置、长度、线路等分述如下:

(1)引河的平面形式。裁弯工程一般分为内裁和外裁两种(图1-9)。外裁时引河与上下游河段连成一个大弯道。外裁引河的进出口与上下游弯道很难达到平顺衔接，且线路较长，故采用较少。内裁时引河与上下游河段连成三个弯道。内裁一般通过狭颈最窄处，引河进水口布设在上弯道顶点的稍下方，出水口布置在下弯道顶点的上方，线路较短，可节省土方开挖量，对上下游河势影响较小，所以采用较多。

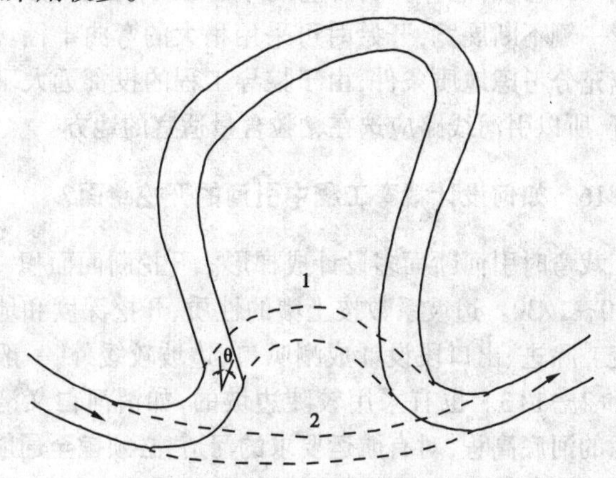

图 1-9　裁弯工程内裁和外裁示意图

1—内裁　2—外裁

(2)引河进出口位置的选择。进出口位置应符合进口迎流和出口送流顺畅的原则，出口要能与下游河道平顺连接，不致引起下游河势向不利情况变化。引河轴线与干流轴线的交角不宜过大。一般 0°～30°，如长江中洲子湾引河轴线与干流轴线的夹角在进出口处分别为 28°和 30°，长江上车湾为 20°和 30°，渭河仁义湾为 17.5°和 30°。

(3)引河长度的确定。引河的长度一般以老河段轴线长度与引河轴线长度的比即裁弯比作为指标。若裁弯比小，则引河线路长，工程量大，引河的比降较老河弯变陡较小，引河冲开较慢，甚至冲不开。裁弯比过大时，引河线路短，比降明显变陡，冲刷过于强烈，引河发展太快，可能造成下游河段河势发生大的变化。因此，引河线路长度的确定必须综合考虑各种因素,尤其是影响引河发展和造成下游河势恶化的因素。裁弯比一般以3~7为宜,如中洲子湾裁弯比为7.8,上车湾为9.3,仁义湾为3.6,碾子湾自然裁弯比为6.7,南运河系统为3~13。

(4)引河线路的选择。引河应设计成曲线,考虑到放水初期引河向凹岸一侧不断展宽,开始时可采用稍大的弯曲半径。确定引河线路应充分考虑地质条件,由于控导工程的投资远大于土方开挖的投资,所以引河线路应选在粘粒含量适宜的地方。

1.4.16 如何设计裁弯工程中引河的开挖断面?

人工裁弯时引河断面多设计成梯形。开挖断面面积一般为新河的1/10~1/30。边坡系数按土壤的性质、开挖深度和地下水等情况而定。除进、出口段设计成喇叭口,边坡较缓外,一般采用的边坡为1:2~1:3。也有采用较陡边坡的,如渭河仁义湾采用了1:1。引河的河底高程,对有航运要求的河道,必须挖至通航的标准高程;非通航河道,按具体情况确定,如仁义湾裁弯时,根据渭河洪水历时短、含沙量高、容易造成淤积的特点,引河扩宽初期以中水为主,为使中水期能进入引河较多的流量,同时考虑地面以下0.5~3.5m范围内因芦苇根的盘结而不易冲开的情况,决定引河开挖到地面以下4~4.5m。引河的设计河底宽度应考虑附近天然河道的坍塌过程,预估引河冲深后的坍塌强度;引河放水刷深至河底后,河底宽度不能被河岸坍塌的土体完全覆盖;新河展宽的速度,能否满足枯水季节通航的要求;施工要求等。如中洲子引河的河底宽上段为30m,下段为20m,开挖断面为新河断面的1/17~1/25。仁义湾设计开挖底宽40m,下段被迫改为20m,开挖面积为新河断面的1/19,也取得了成功。另外,开挖的引河还必须满足两个条件:①在中水位之下,进入引河的流量、流速不能太小,以保证引河的冲刷。②在洪水期进入引河的流量、流速不能太大,以免引河发展过速，造成下游河段的严重淤积。

1.4.17 举例说明裁弯工程中引河的开挖方法。

长江荆江河段中洲子湾和上车湾裁弯时的引河，其水上部分采用人工开挖，水下部分采用机械开挖和爆破相结合的施工方法。渭河仁义湾裁弯时的引河是以抽水冲刷为主，辅以机械挖运和人工整治。

1.4.18 试述裁弯后新河的发展过程。

裁弯后新河的发展过程大体可分为三个阶段：

(1)普遍冲刷阶段。新河过流后冲刷发展十分迅速，分流比由小变大，新河宽度、深度增大，过流面积急剧增加。在横向是先向两侧展宽，逐渐转为凹岸单侧展宽，在纵向是先普遍冲刷，逐步变成凹岸冲深。

(2)弯道形成阶段。随着新河的冲刷，分流比不断增大，比降调平，过水断面继续扩大。新河断面继续向凹岸单向展宽，形成不对称的三角形横断面，出现凹岸冲刷、凸岸淤积的现象。同时，由于流速的减小，演变的速度也较前减缓。

(3)弯道正常演变阶段。待新河比降调平接近完成时，其演变规律与一般弯道相似，即洪水期冲刷，枯水期淤积。凹岸坍塌与凸岸淤积基本达到平衡，过水断面不再继续扩大，河槽向凹岸方向转移。

1.4.19 试述裁弯后老河的淤积过程。

裁弯之后，老河的淤积是与新河的冲刷相应的。在初期随着流量和比降的减小，流速变缓，水流的挟沙力降低，加之老河为底流进水(新河口门底高于老河口门底)，底流含沙量大，所以沿程发生淤积，但仍保持弯道段洪冲枯淤的规律。当老河过流量减小到小于总流量的50%时，水流挟沙力进一步降低，老河道失去了原来的冲淤变化规律，转化为单项淤积的过程，淤积量显著增加。当老河上口门淤积到高于中水位后，淤积速度变缓，而老河下口门则由于倒灌、回流的作用，继续淤高，进而上下口门断流，中下段出现牛轭湖。当以后遇大洪水或特大洪水时，老河的中下段会继续淤积，甚至牛轭湖消失。

1.4.20 简述裁弯对上下游河段的影响。

裁弯之后，由于新河冲刷和老河淤积，相应会对上下游河段产生影响。对上游河段的影响主要表现在比降变陡，流速加大，水流挟沙能力增加，致使河床产生溯源冲刷，河势发生摆动或加速原有的演变过程。对下游河段的影响主要看设计新河的出口与下游河道的连接是否平顺。若不是平顺连接，将会引起下游河段的河势变化；若连接平顺，新河来沙又与下游河道相适应，则下游河势就不会发生明显的变化。

1.4.21 简述游荡型河道整治的必要性。

就防洪而言，游荡型河段的河槽宽浅，水流散乱，主流摆动不定，致使河岸坍塌，有时直冲堤防，威胁堤防安全，甚至造成决口。就引水灌溉而言，引水没有保证，引水口易于脱河，有时引渠淤塞，对引水不利。就滩区群众的生产生活而言，严重的塌滩及村庄落河直接影响滩区群众的生产安全。就航运而言，由于河身宽浅，溜势散乱，致使水深不足，航道不定，通航条件恶劣。因此，必须对游荡型河道进行整治，控导主流，避害兴利，使河流为国民经济各部门服务。

1.4.22 堤河、串沟治理的主要措施是什么？

堤河、串沟的治理措施主要有两种：一是采取必要的工程措施，如用锁坝、透水柳坝、活柳坝等工程，堵截串沟、堤河，逐渐将其淤死。二是抓住含沙量高的洪水期进行放淤，淤填堤河、串沟，以避免洪水时顺堤行洪，保证大堤安全。

1.4.23 简述黄河下游险工的平面型式。

在黄河下游，为了抵御水流淘刷堤防，依托大堤修建的丁坝、垛、护岸工程，称为险工。由于黄河下游堤防多系沿用过去老堤加修而成，故外形很不规则。沿堤修建的老险工，外形也是多样的，但大体可分为凸出型、平顺型和凹入型三种。

(1)凸出型：工程突入河中。险工在上、中、下段不同部位靠溜时，其出流方向变化很大，易导致险工以下的河床宽浅散乱，不是好的布局型式。

(2)平顺型：工程的布局比较平顺，或呈微凸微凹相结合的外形。工程的着溜段变化很大，出流方向甚不稳定，也不是好的布局型式。

(3)凹入型：工程的外形是一个凹入的弧形。在来溜方向和靠溜部位不同的条件下，水流入弯后，经过工程的调整，出流方向基本一致，是一种好的布局型式。近年来新修的河道整治工程都采用这种型式。

1.4.24 什么叫控导工程？

在黄河下游，为了控导主流、护滩保堤，在滩岸上修建的丁坝、垛、护岸工程，叫做控导工程。

1.4.25 黄河下游的河道整治工程主要由哪两部分组成？整治建筑物有几种型式？布置原则是什么？

黄河下游的河道整治工程主要由控导工程及险工组成(图1-10)。其整治建筑物主要包括丁坝、垛和护岸。一般以坝为主，垛为辅，坝垛之间必要时修平行于水流的护岸。丁坝较长，挑流的能力强，保护岸线也长，但产生的回流较强，局部冲刷较大，因此较适用于来流方向与坝的迎水面的夹角较小的情况。垛即短丁坝，其间距较小，挑流能力弱，垛前水流淘刷较浅，产生的回流也弱，对来流的适应性较好，在来流方向与坝(垛)的迎水面的夹角较大时，修垛比较合适。护岸的外形平顺，是沿着堤防或滩岸的坡面修建的防护性工程。对一处整治工程来说，上段宜修垛，下段宜修坝，个别地方辅以护岸。

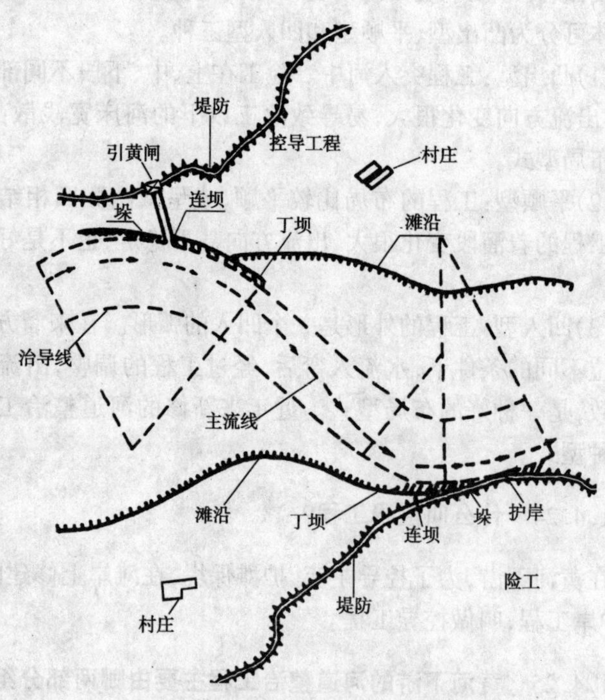

图 1-10　险工及控导工程平面示意图

1.4.26 何谓整治工程位置线？如何确定整治工程位置线？

一处河道整治工程的坝、垛头部的连线，称为整治工程位置线，简称工程位置线或工程线。在确定整治工程位置线时，首先要分析研究河势变化的各种情况，确定工程上部的可能靠溜部位，整治工程的起点要布设到该部位以上。在工程的上段尽量采用较大的弯曲半径，甚至采用直线，以利迎溜入弯；工程中段采用较小的弯曲半径，以便在较短的弯曲段内调整水流方向；整治工程的下段，弯曲半径要比中段稍大，以便顺利地送溜出弯。

1.4.27 整治工程位置线与治导线关系如何？

整治工程位置线是依治导线而确定的，但又区别于治导线。一般情况下，工程线的中下部与治导线重合，上部要退离治导线，以适应不同的来溜情况，如图 1-11 所示。

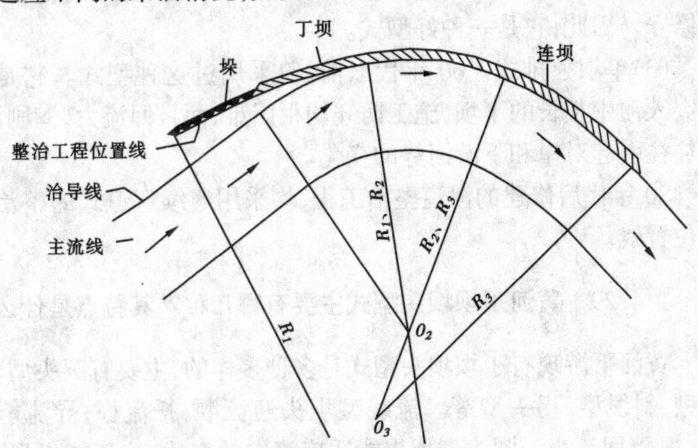

图 1-11 整治工程位置线与治导线的关系

1.4.28 试述黄河曾采用过的整治工程位置线的型式。

黄河下游过去采用过的整治工程位置线的型式主要有：

(1)分组弯道式。这种整治工程位置线是一条由几个圆弧线组成的不连续曲线，即将一处整治工程分成几个坝、垛组，每组自成一个小弯道。各组之间有的还留出一段空档，不修工程。每组由长短坝组成，上短下长。其优点是不同的来溜由不同的坝组承担，汛期便于重点抢护；缺点是每个坝组所组成的弯道很短，调整流向及送溜能力均较差。当来溜的方向变化时，着溜的坝组和出溜情况都将随之改变，这将造成防守被动，同时给下游的整治带来困难，所以不是一种好型式。

(2)连续弯道式。这种型式的整治工程位置线是一条光滑的复合圆弧线。水流入弯后，诸坝受力均匀，形成以坝护弯、以弯导流的型式。其优点是出流方向稳，导流能力强，坝前淘刷较轻，易于修守。因此，它是一种好型式。

(3)单坝独排式。60 年代以前，曾采用过这种型式。它是修建突入河中很长的丁坝，施工防守均很困难，而且回流大，淘刷深，并往往引起对岸和下游河势的变化。

80 年代后修建的河道整治工程，均采用连续弯道式的整治工程位置线。

1.4.29 黄河丁坝坝头型式主要有哪几种？其特点是什么？

黄河下游现有丁坝坝头型式是多种多样的，主要有圆头型、流线型、斜线型、拐头型等。流线型坝头迎流顺，托流稳，导流能力强，坝裆回流小。圆头型坝头能适应流向的变化，抗流能力强，但产生回流较大。斜线型坝头回流较弱，节省材料，但对流向变化的适应性小。拐头型坝头的长度约为丁坝间距的 1/4～1/6，拐头段与整治工程位置线平行或接近平行，其导流能力强，但当来流方向与整治工程位置线的交角较大时，两坝之间往往产生强烈的回流，一般宜用于工程的中下段。80 年代又设计了椭圆头丁坝。

1.4.30 何谓椭圆头丁坝？其外形如何确定？

黄河下游由于泥沙淤积，河床不断抬高，河道整治建筑物也需每隔数年加高一次。原来坝头型式在加高时，坝前头及下跨角部分就需要将坦石外移，新修坦石抛在泥面上，遇到水流强烈冲塌时，易产生大的险情，甚至垮坝，给防洪造成被动。为解决原有坝型不适应加高的弊端，80 年代设计了椭圆头丁坝。当丁坝加高 4～5m 时仍可保持好的坝头型式。图 1-12 为新修方向角为 30°的椭圆头丁坝，实线为新修时外形线，虚线为加高 4～5m 后的外形线。新修时各点的坐标位置见表 1-1。

表 1-1　新修方向角为 30°的椭圆头丁坝点位坐标

点号	O	1	2	3	4	5	6	7	8
X	0	0.05	0.20	0.46	0.83	1.34	2.00	2.40	2.86
Y	0	4.00	8.00	12.00	16.00	20.00	24.00	26.00	28.00
点号	9	10	11	12	A	14	15	16	17
X	3.39	4.00	4.73	5.64	6.03	6.83	8.33	10.24	11.41
Y	30.00	32.00	34.00	36.00	36.71	38.00	40.00	42.00	43.00
点号	18	19	20	21	22	23	24	25	26
X	12.78	14.47	16.80	18.61	19.83	21.40	22.93	24.06	25.69
Y	44.00	45.00	46.00	46.50	46.70	46.80	46.70	46.50	46.00
点号	B	28	29	30	31	32	C	O_2	D_1
X	27.15	27.62	28.83	29.67	30.28	30.98	31.15	18.15	14.00
Y	45.29	45.00	44.00	43.00	42.00	40.00	38.37	29.71	24.00
点号	D	E							
X	12.00	12.00							
Y	9.00	0							

图 1-13 为新修方向角为 45°的椭圆头丁坝，实线为新修时外形线，虚线为加高 4～5m 后的外形线。新修时各点的坐标位置见表1-2。

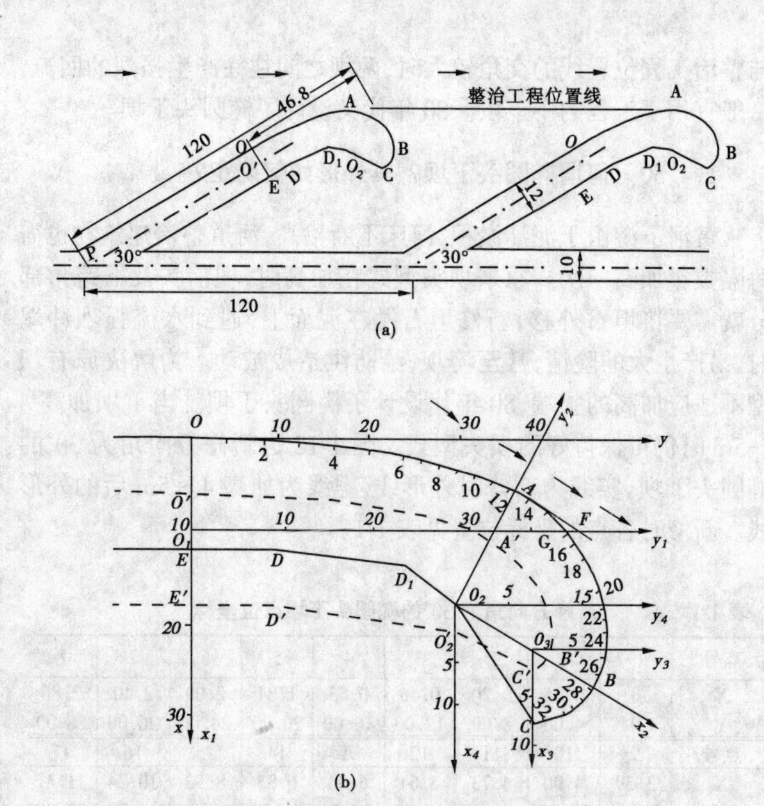

图 1-12　新修方向角为 30°的椭圆头丁坝(单位:m)

1.4.31　何谓坝(垛)的方位角?如何选用?

坝(垛)的方位角是指坝(垛)的迎水面与整治工程位置线的夹角。在一定坝长的情况下,夹角愈大,虽然掩护的岸线长,但回流较大,坝身的裹护段长,出险机会多。因此,夹角宜小不宜大,在黄河下游一般以 30°～45°为宜。

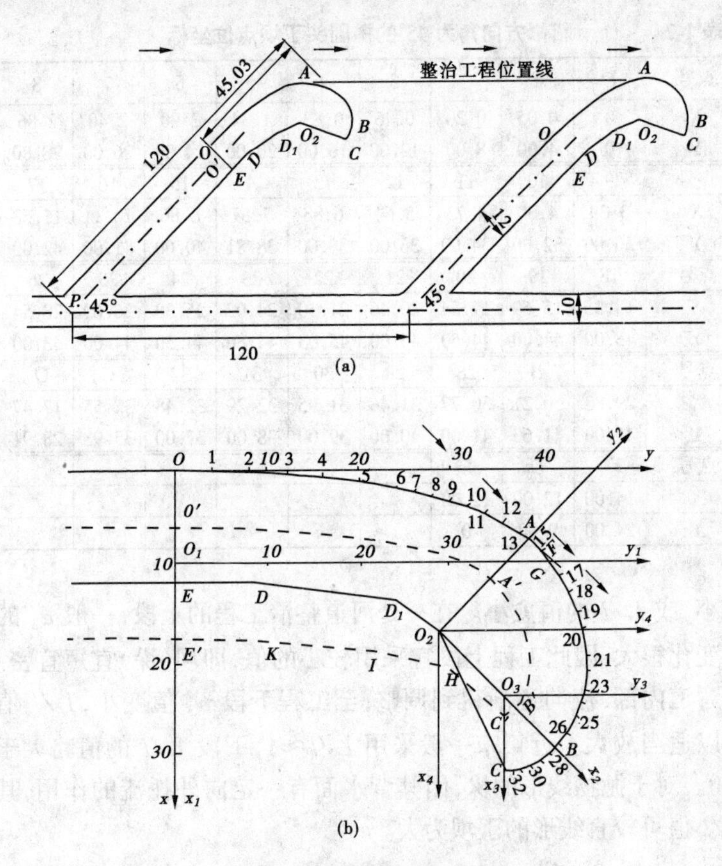

图 1-13　新修方向为 45°的椭圆头丁坝(单位:m)

1.4.32　在黄河下游如何确定坝(垛)的间距?

在黄河下游,丁坝的间距 L 与坝的有效长度 l_p、坝的方位角 α_1、水流扩散角 β、水流方向与整治工程位置线的夹角 α_3 有关(图 1-14)。丁坝的有效长度 l_p 一般采用丁坝长度 l 的 2/3。当坝的方位不变时,水流方向与整治工程位置线的夹角愈大,则坝的间距

表 1-2　　　　新修方向角为 45°的椭圆头丁坝点位坐标

点号	O	1	2	3	4	5	6	7	8
X	0	0.05	0.20	0.46	0.83	1.34	2.00	2.40	2.86
Y	0	4.00	8.00	12.00	16.00	20.00	24.00	26.00	28.00
点号	9	10	11	12	13	A	15	16	17
X	3.39	4.00	4.73	5.64	6.88	7.57	8.86	10.11	11.58
Y	30.00	32.00	34.00	36.00	38.00	38.81	40.00	41.00	42.00
点号	18	19	20	21	22	23	24	25	26
X	13.35	15.69	17.34	20.46	21.30	24.02	25.30	26.69	28.54
Y	43.00	44.00	44.50	45.00	45.03	44.80	44.50	44.00	43.00
点号	27	B	28	29	30	31	32	C	O_2
X	29.82	30.21	30.77	31.46	31.95	32.29	32.48	32.55	17.47
Y	42.00	41.63	41.00	40.00	39.00	38.00	37.00	35.98	28.91
点号	D_1	D	E						
X	14.00	12.00	12.00						
Y	24.00	9.00	0						

愈小，或 L/l 的值愈小。在一处河道整治工程的上段，一般 α_3 的值变化很大，因此工程上段宜采用较小的值，即坝(垛)宜短宜密。在弯道内部，流向逐渐得到调整，至工程下段 α_3 值变小，L/l 值可以适当放大。近年来一般采用 $L/l \approx 1$，下段 L/l 的值略大于1.0。对于抛物线形的垛，因其背水面有一定向外托流的作用，其 L/l 值可较直线形的丁坝为大。

1.4.33　如何确定河道整治建筑物的坝顶高程？计算控导工程的超高时，应考虑哪几个因素？

河道整治建筑物的坝顶高程根据设计水位确定。进行枯水航道整治，依据整治枯水位确定；在滩区修建中水整治工程，以设计中水位加超高确定，有些情况下可与滩面平；沿堤防修建的险工，坝顶高程可由设计洪水位加超高求得。在黄河下游计算控导工程超高时，应考虑弯道横比降壅高、风浪壅高和安全超高三个因素。

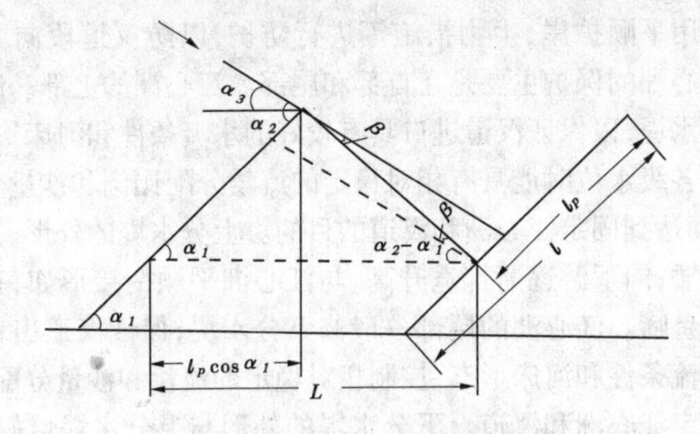

图 1-14　丁坝间距与坝长关系图

1.4.34　为什么要对分汊型河道进行整治?

对于良好的分汊型河道,在各级水位下,存在着比较稳定的分流比和分沙比,其河床形态和平面位置都比较稳定,对防洪、航运、取水等都比较有利;当汊道不够稳定甚至处于急剧发展与消亡过程时,将对各方面带来不利影响,如汊道的横向摆动和发展会造成滩岸的坍塌,以致危及堤防安全;一岸的淤积也会造成港口码头的淤废和工业、农业取水的困难;汊道的交替发展、衰退,对航运不利;汊道进出口的浅滩也妨碍航行。为了充分利用河流为国民经济服务,防止河道的不利影响,对分汊型河道必须进行整治。

1.4.35　如何固定有利的汊道?

对国民经济各部门综合效益大的汊道,可采取下述措施固定,也可视情况采取其中的部分措施,使在各级水位下保持良好的分流比和分沙比,江心洲既不展宽、延伸,也不变窄、缩短。

为了保持已有的来水来沙条件,可在分汊以上的节点处修建整治建筑物(如平顺护岸),这是固定汊道的首要条件。在汊道的入口处、出口处以及汊道中可能发生冲刷的局部河段,可根据具体情况采用平顺护岸、生物措施等进行防护，以防汊道段向两岸坍塌。江心洲的保护主要是在首部和尾部。江心洲的上部一般须修建上分水堤，以保证汊道进口具有较好的水流条件和河床形态，控制其在各级水位时能具有相对稳定的流量分配比例和沙量分配比例，从而达到固定江心洲和汊道的目的。上分水堤的外形，为上游部分窄矮，向下游逐渐扩宽升高，与江心洲平顺衔接形如鱼嘴，所以又叫鱼嘴。江心洲的尾部一般修下分水堤，保证汊道出口有较好的水流条件和河床形态，控制相对稳定的流量和沙量分配比例，从而固定江心洲和汊道。下分水堤的外形与上分水堤恰好相反，其平面上的宽度沿程逐渐收缩，上游部分与江心洲尾部平顺连接，其高程沿程逐渐降低。这些工程，目前还缺少确切的计算方法，必要时可通过模型试验来确定。

1.4.36 简述堵塞汊道的工程措施。

堵塞汊道的工程措施，可视具体情况采取挑水坝、锁坝、活柳坝和编篱建筑物等多种。在含沙量较大的河流上，可在被堵塞一汊的进口处，修建编篱建筑物，它可将含沙量较小的表层水流导向被保留的汊道，含沙量较大的底流流进被堵塞的汊道，从而导致此汊道淤死。对于两汊道兴衰分明的汊道，可在被堵塞汊道的上游修建挑水坝，将主流逼向主汊道，加速其发展，在挑水坝背后的支汊就相应加快了淤积。用丁坝或者丁坝与顺坝相结合堵塞汊道，在堵塞的汊道进口处修建顺坝或丁坝，在汊道的适当部位修建丁坝，这不仅可以封堵汊道的进口，而且能起到缩窄通航汊道水面的作用。在中小河流上还可利用锁坝堵塞汊道，一般为两汊道流量相差不大，只有堵死一汊才能满足通航的要求。在平原上的大江大河上采用锁坝一定要慎重，防止堵汊后河道发生剧烈变化。锁坝的位置可根据具体情况，确定修在被堵汊道的首部、中部或尾部。在少沙河流上修建锁坝多采用实体结构，高程较低，仅在中、枯水期不过水。在多沙河流上修建锁坝,可采用沉树、编篱等透水建筑物,利用其缓流落淤作用,既可节省投资,又可提高淤塞汊道的效果。对于汊道较长、比降较大的情况,也可修建数道锁坝,以利于泥沙的淤积。

1.4.37 简述改善汊道的工程措施。

改善汊道的整治措施主要包括调整水流和调整河床两个方面。前者是修建丁坝和顺坝等,后者是采取疏浚、爆破等措施。可按照河道情况,确定措施。如为改善上游河段的情况,可在上游节点修建控导工程,控制来水来沙条件;为改善两汊道流量和沙量的分配比例,可在汊道进口处修建顺坝或丁坝;为增加浅滩水深,可修建丁坝束水攻沙,或进行疏浚、爆破工程;为改善江心洲尾部的水流流态,可在洲尾修建导流顺坝等。

1.4.38 什么是浅滩整治?浅滩整治要解决什么问题?主要的整治措施是什么?

浅滩整治系指在碍航河段上修建整治建筑物,必要时辅以疏浚,来改善浅滩通航条件而进行的整治。浅滩整治要解决通航保证率和航道尺度问题。通航保证率是指在规定的航道水深下,一年内能通航的天数与全年天数的比,一般采用百分数表示。航道尺度主要是指在设计水位下,航道最小水深、航道宽度、航道的弯曲半径、航道内的流速及航道的平顺稳定情况等。浅滩的主要整治措施有工程措施和疏浚。工程措施主要是修建整治建筑物、束窄水流、固定上边滩和下边滩、堵塞汊口、稳定及调整岸线等,以保证航道尺寸,稳定航槽。浅滩的疏浚是指利用挖泥船等浚深拓宽河道,以维持航道尺度,改善航运条件。当前,疏浚在保证航道畅通、提高航道的通航能力等方面发挥了重大作用。

1.4.39 河口整治的目的是什么?

河口整治的主要目的是为了航运和防洪。较大河流的河口地区往往是经济发达区和海陆运输的交会点。但河口的航道,由于水流的扩散和受潮汐、海流、风浪的影响,往往多淤善变,水深不足,航行困难,所以需要进行整治。就防洪而言,在河口区由于泥沙淤积,河水宣泄不畅,加上海潮、风浪的顶托,水位上升,以致泛滥成灾,并影响河口以上河段,因此需要整治。另外,河口区农业、工业、渔业部门也要求对河口段进行整治。

1.4.40 在多汊的三角洲河口,航道整治的主要任务是什么?

多汊的三角洲河口,航道整治的主要任务是选择一条或数条合适的通航汊道,并沿航道修建导流堤,必要时还要进行疏浚,以保持合乎要求的通航条件。

1.4.41 多汊三角洲河口进行航道整治时,选择通航汊道的原则是什么?

选择通航汊道的原则有:①对于较大的河流,应整治一条河床稳定且能满足通航要求的较小河汊作为航道;②选择口外海流较强的一汊,以便海流把泥沙带到远离口门的地方;③选择流入较深海域的河汊;④如果汊道航深不足,不可用堵塞其他汊道的办法来增加通航汊道的流量,因为流量增加了,沙量也会增加,致使拦门沙扩大,三角洲向前延伸,达不到整治的目的;⑤如海流很弱,主要风向又正对海岸,可考虑开辟新航道。

1.4.42 多汊三角洲河口进行航道整治时,选择导流堤的方向应考虑哪些条件?

选择导流堤的方向应考虑:①导流堤的前端必须达到深水线。

为减少堤长，导流堤应尽可能沿最短线路达到深水线。这样常常要求堤身与海岸成垂直方向。②导流堤的方向最好与强风向一致，这样船进入河口比较安全方便。③导流堤以与沿岸海流斜交为宜，这样沿岸海流将与河水成锐角相交，可使泥沙淤积得较远。④导流堤方向不要与海流正交。导流堤与海流正交虽可防止漂沙，但在迎流一方的堤外，往往泥沙堆积，严重者可延长到堤头附近，以致淤塞口门。

1.4.43 防止挡潮闸下淤积的主要措施是什么？

防止挡潮闸下淤积的主要措施有：①利用上游来水冲淤和潮流冲淤。当上游河流来水量较大，在潮水较小或落潮时，可开启闸门，泄放闸上游的河水，冲淤的效果较好。实践证明，当大潮时关闸不放水，淤积量较小潮多 4～5 倍。此时如开闸放水，其冲刷量较小潮多 2～3 倍。②利用机船拖淤。在开闸泄洪或落潮时，利用机船螺旋桨及拖耙对河中泥沙进行大规模的搅动，使底层泥沙掺混在河水或落潮流中，随水流把泥沙带走。如陡河防潮闸 1967 年建成后，曾二次接近淤死。1974 年采用机船拖淤后，当年就“死闸复活”，1976 年恢复了设计泄流能力。

1.4.44 坝垛加高设计中，采用什么方法加高护坡？为什么？

坝垛加高时，必须采用“退坦加高”的方法加高护坡。河道淤积后，水位相应抬高。坝垛护根的坡度要缓于护坡的坡度。枯水位升高后，根石台相应抬高，为保持根石台的宽度，必须向外抛投根石。被抛的根石往往落在淤泥面上，遇水流冲刷，新抛石料下泥土被冲走后即会发生根石滑塌、墩蛰险情，严重的还会出现垮坝。为使原有根石继续发挥作用，维持原有坝垛的稳定性，加高中不允许将根石外移。为保持根石台的宽度，护坡部分必须后退，即采用“退坦加高”的方法。

第五节　河道整治建筑物结构

1.5.1　什么叫河道整治建筑物？

为整治河道而修建的建筑物，叫河道整治建筑物，简称整治建筑物。

1.5.2　按照建筑材料和使用年限，可将河道整治建筑物分为几种？各自的特点是什么？

按照建筑材料和使用年限，可将整治建筑物分为轻型（或临时性）和重型（或永久性）整治建筑物。前者是用竹、木、秸、梢、柳等轻型材料修建，抗冲及防腐性能较弱，寿命也较短。后者是用土、石、金属、混凝土等材料筑成，抗冲和防腐朽能力强，且寿命长。

1.5.3　按照建筑物与水位的关系，可将河道整治建筑物分为几种？各自的特点是什么？

按照建筑物与水位的关系，可将整治建筑物分为非淹没整治建筑物和淹没整治建筑物。前者是在各种水位下均不淹没。后者是在洪水时淹没，而在中水、枯水时不淹没；或在洪水、中水时淹没，而在枯水时不淹没。枯水时也被淹没，即恒潜于水下的河道整治建筑物，叫潜没整治建筑物。

1.5.4　按照建筑物对水流的干扰情况，可将河道整治建筑物分为几种？各自的特点是什么？

按照河道整治建筑物对水流的干扰情况，可将整治建筑物分为非透水整治建筑物、透水整治建筑物和环流整治建筑物。非透水整治建筑物是由土、石、金属、混凝土等材料筑成的，它不允许水流从建筑物内部通过，迫使水流绕流或漫溢，对水流起导流或堵塞的作用，多为永久性工程。透水整治建筑物由竹、木、桩、树、梢料、铅丝等材料筑成。它不仅允许水流绕流、漫溢，而且也允许水流从体内穿过，除对水流有导流和截堵作用外，还有缓流落淤的作用，多用于临时性工程。环流整治建筑物又称导流建筑物或导流装置，是一种激起人工环流的建筑物。通过人工环流来控制泥沙运动，从而控制人工河床的变化，多用于引水口整治，也可用于护岸及改善航道等。

1.5.5 什么叫埽工？简述它的作用和特点。

埽工是以薪柴（主要是高粱秆、柳枝及苇草等）、土料为主体，用桩绳盘结联系，筑成的一个整体防冲建筑物，也简称为埽（图 1-15）。埽工在保护堤防的抢险、堵口截流中曾发挥了很好的作用。但埽工体轻易浮，易于腐烂，维修费用大，宜作为临时性的防冲建筑物。

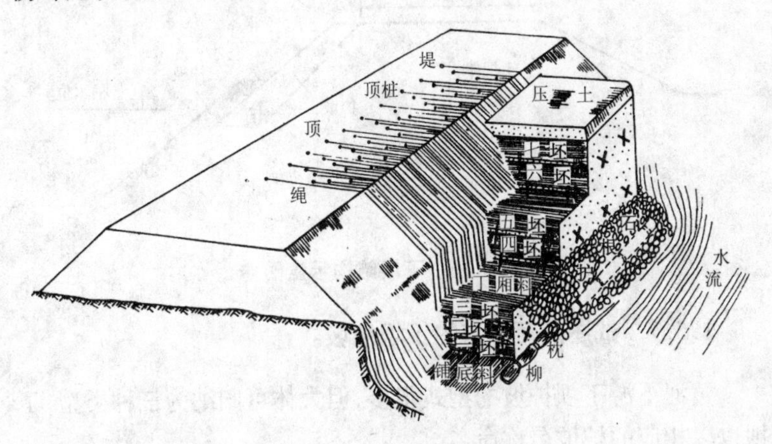

图 1-15　埽工透视图

1.5.6 试述黄河下游丁坝的结构。

黄河的丁坝主要由土坝体、护坡、护根三部分组成(图 1-16)。土坝体一般由壤土筑成。当不得已用砂性土料填筑时,一定要用粘性大的土包边盖顶,厚度一般 0.5～1.0m,在不进行裹护的地方,边坡采用 1∶2,在进行裹护的地方,其边坡采用护坡断面的内坡值。土坝体顶宽一般 10～14m。坝高由设计水位及超高决定。护坡是为了保护土坝体,用抗冲材料将可能被水流淘刷的坝坡裹护起来。护根是对丁坝基础进行保护。黄河下游的泥沙组成较细,河床质泥沙的 $d_{50}=0.06\sim0.10$mm,抗御水流淘刷的能力弱,坝前往往形成很深的冲刷坑。为了保护丁坝的安全,必须采取措施,及时用块石、柳石(淤)枕、铅丝笼等抛护。护根是丁坝防护的重点,也是用料最多的部位。由于护根的主要材料是石料,习惯上称为根石。

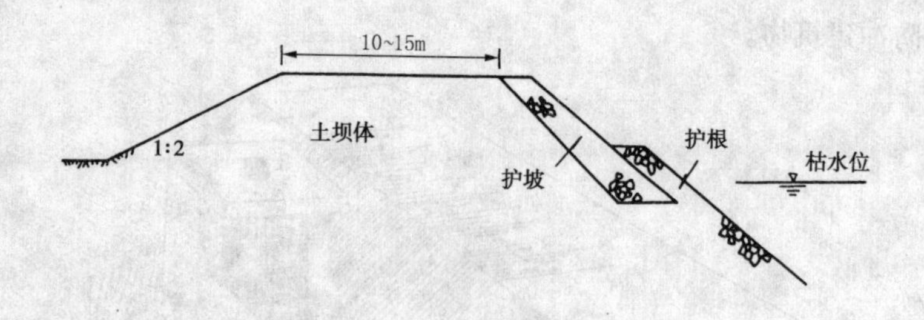

图 1-16 丁坝结构示意图

1.5.7 试述黄河下游的丁坝护坡。

黄河下游丁坝护坡的型式很多,但大体可归纳为三种类型,丁坝也以相应的护坡名称命名。

(1)乱石护坡(图 1-17),或称块石护坡,相应丁坝称为乱石坝。这是采用最多的型式,为便于管理,常将表层块石进行粗排。它是在已修好的土坝体外,按设计断面抛堆块石而成。在新修时可采用柳石结构。柳石枕与柳石搂厢等型式既有利于与坝体土料的结合,在水流作用下又具有缓流落淤的作用,柳枝是一种很好的护坡材料。待根石相对稳定后,护坡的外部块石宜进行粗略的排整。护坡断面的顶宽 0.7~1.0m,外坡 1∶1.2~1∶1.5,内坡 1∶1.0~1∶1.3,顶部高程低于坝顶 0~0.5m。

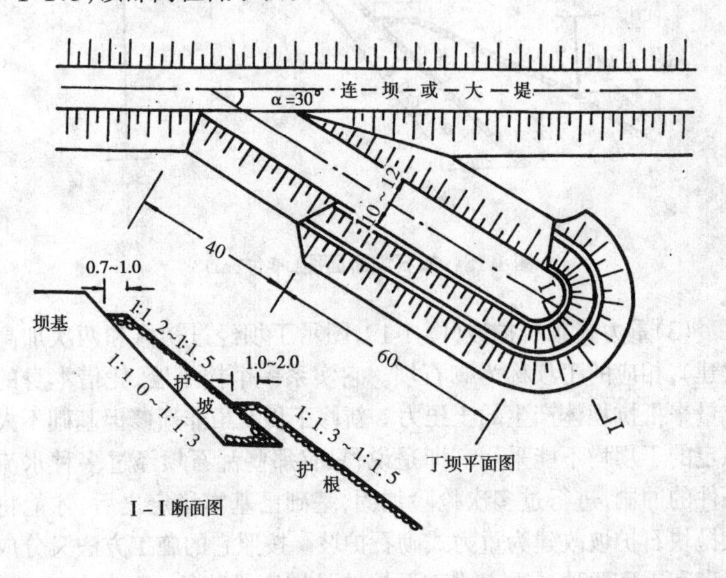

图 1-17　乱石坝断面图(单位:m)

(2)扣石护坡(图 1-18),相应丁坝称为扣石坝。它不能用于新修的丁坝。当乱石护坡经若干次抢护加固,其基础较为稳定之后,方可考虑将乱石护坡改成扣石护坡。这种护坡的面石要用大块石,块石的一个轴与坡面垂直;腹石用小块石。按照面石的砌筑方法,又可分成丁扣(块石长轴垂直于坡面)和平扣两种。有的扣石表面还用水泥砂浆勾缝。其断面尺寸大体为:顶宽 1.0m,内坡

1∶0.8～1∶1.0，外坡1∶0.9～1∶1.1，顶面低于坝基顶0～0.5m。

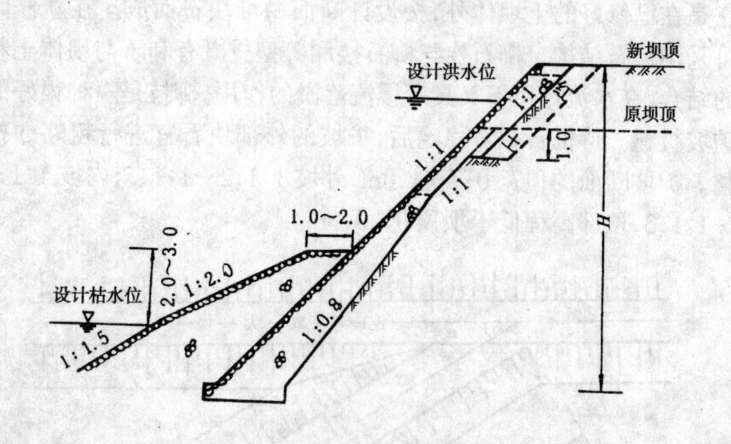

图1-18　扣石坝断面图（单位：m）

（3）重力式砌石护坡（图1-19，图示丁坝经过初修和两次加高改建），相应的丁坝称为砌石坝。它实系一个挡土墙，凭借本身的重量来抵抗坝体产生的土压力。新修丁坝及虽非新修但基础不大稳定的丁坝均不能采用。即是说，只有那些乱石坝经过多种水流条件的冲刷，进行过多次抢险加固，基础已基本稳定之后，才能将散抛块石护坡改建为重力式砌石护坡。按照它的施工方法又分成浆砌和干砌两种。重力式砌石护坡是坡度最陡的一种护坡型式，承受的土压力大，在坝高相同时，修做的体积最大，其断面尺寸一般为顶宽1.5～2.5m，内坡垂直至1∶0.4，外坡1∶0.3～1∶0.4，顶面与坝顶平或低于坝顶0.5m。80年代出现过数次砌石坝垮坝，近些年来已不再新修砌石坝，已有的砌石坝逐步改建为乱石坝或扣石坝。由于护坡的主要材料为石料，习惯上把护坡叫做坦石。

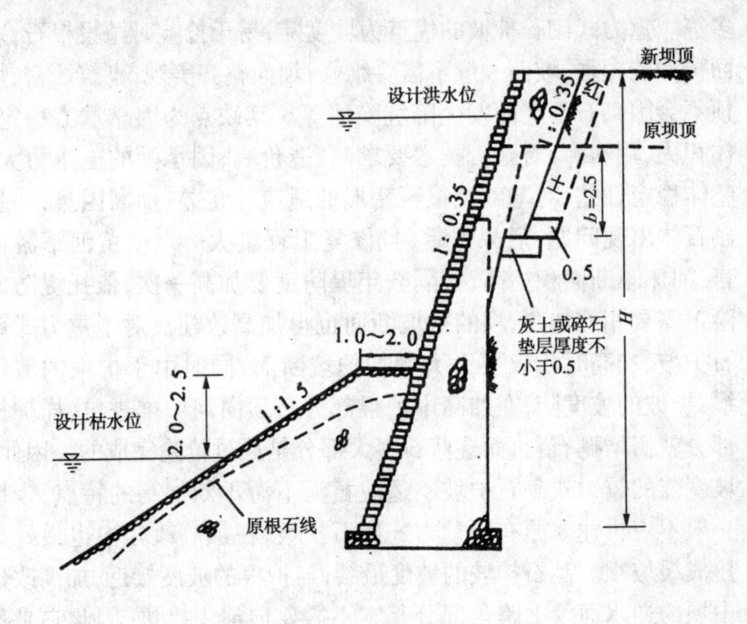

图 1-19　砌石坝断面图(单位:m)

1.5.8　黄河下游三种丁坝护坡型式的优缺点是什么？今后应优先采用何种护坡型式？

乱石护坡的优点是坡度缓，坝坡稳定性好；对根石变形适应性强，险情易于暴露和抢护，一般不致酿成大险后才被发现；结构简单，节约石料，易于施工和管理；对于堆积性河流，它能较好地适应不断加高的特点。它的缺点是表面粗糙；在大溜冲刷及暴雨期间易形成吊塘子险情；经常需要维修等。扣石护坡的优点为坡度较缓，坝体稳定性较好；表面面石系扣砌而成，抗冲力较强；用料较省且对水流的阻力较小等。其缺点为对基础的适应性不如乱石护坡，一旦出险，抢护紧张，修复工程量较大；施工技术较高；用工较多等。重力式砌石护坡的优点为坡度陡，易于抢险时抛投根石；表面抗冲能力强，坡面一般不需要维修；坝面整齐美观；砌筑严密，坝顶不会因砌石不严而发生陷坑险情等。其缺点为因靠重力稳定，体积大，用料多，对施工技术要求高，造价高；因承受的土压力大，整体稳定性差；对基础及根石变形的适应性也差；加高困难；一旦砌石体出现问题，后果严重，且修复工程量大等。就黄河下游而言，河床不断淤积抬高，每隔数年堤防就要加高一次，依托堤防的险工需要相应加高，坝的护坡断面也得加高改建。对于重力式砌石护坡，加高时不仅要大大增加护坡断面，同时由于护根的坡度缓，护坡的坡度陡，在加高中护根部分必须向河中推进，这样护根部分就需增抛石料，而这些石料大部分是通过抢险完成的。因此，坡度陡的重力式砌石护坡不适应黄河下游不断加高的特点，今后一般不应再建。原有的重力式砌石护坡，在加高改建中也最好改建成缓坡坝。乱石护坡的坡度最缓，与护根的坡度接近，加高改建中坝的迎水面及上跨角部分基本不需要向河中推进，因此它是最能适应加高的护坡型式，今后应多采用之。

1.5.9 试述黄河下游丁坝护根的断面型式。

黄河下游丁坝护根的主要材料为石料，也称作根石。护根的顶部叫根石台，宽1.0～2.0m，顶部高程高出枯水位2m左右。险工均设根石台，控导工程不设根石台。根石的枯水位以上部分可在枯水期修筑，内坡与护坡的外坡相同。外坡可根据稳定的要求缓一些。根石的水下部分是在水流作用下冲刷出险，经多次抢护而形成的。对于根石来讲，抢险的过程也是施工的过程，因此内坡很不规则；外坡是在水流作用下形成的，其陡缓取决于水流条件，据以往的实测资料，一般为1:1.1～1:1.5。根石的深度取决于坝前冲刷坑的深度和流速、流向、根石坡度、水流与建筑物的夹角，以及河床质的特性等。

1.5.10 何谓平顺护岸？按水位可分为哪两部分？各有什么特点？对建筑材料有何要求？经常采用的有哪几种？

平顺护岸是利用防冲材料把堤防(或滩岸)迎水面全部围护起来,也叫覆盖式平顺护岸。长江中下游多采用此种型式。它以枯水位为分界线,枯水位以下部分称为护脚工程,枯水位以上的部分称为护坡工程。护坡工程经常处于水位变动区,除受水流的冲刷外,还常受波浪的袭击和地下水的外渗影响,在北方地区还受冰的冲击力。因其经常处于时干时湿的状态,因而要求建筑材料必须具有较强的耐腐蚀和耐冲刷的能力。采用较多的有块石护坡、铺砌草皮护坡及预制混凝土块护坡等。护脚工程是护坡的基础。它常年潜没水中,时刻都受着水流的冲击和浸蚀作用。其建筑材料和结构应具有抗御水流冲击和推移质磨损的能力,富有弹性、柔性,易于恢复和补充,以适应河床的变形。同时要求耐水流浸蚀性好及便于水下施工。经常采用的有抛石护脚、沉枕护脚、石笼护脚及沉排护脚等。

1.5.11 试述平顺护岸块石护坡的结构。

块石护坡工程主要由脚槽、坡面和封顶三部分组成(图 1-20、图 1-21)。

(1)脚槽。用于稳定坡面防止坡面下滑,有矩形和梯形两种。脚槽的槽底高程与枯水位平,其下与护脚工程衔接。可修成浆砌和干砌两种类型,在水位上涨时,如来不及砌石,也可用块石散抛脚槽。

(2)坡面。块石护坡的坡面边坡视土壤的性质和坡面结构而定,一般为 1∶2.5～1∶3.0,个别的采用 1∶2.0,施工前削成设计坡度方可施工。坡面由面层和垫层(也称反滤层)构成,面层分干砌和浆砌两种。

(3)封顶。它的作用在于使砌石坡面与堤顶或滩面衔接良好，阻止滩面雨水浸入，以防坡面破坏。顶部用较大的块石封顶，有条件的也可用块石或混凝土预制块砌成2～2.5m宽的便道，以便检查险情或整修。

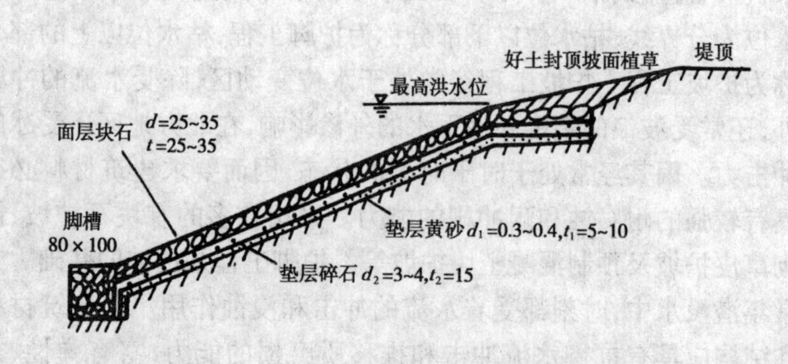

图1-20　长江中下游干砌块石护坡断面图(单位:cm)

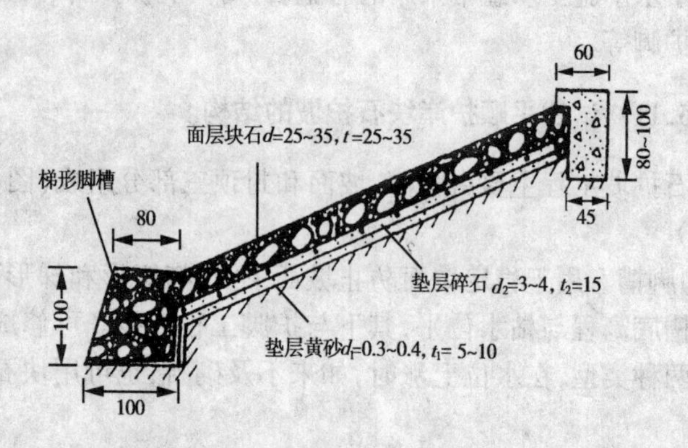

图1-21　长江中下游浆砌块石护坡断面图(单位:cm)

1.5.12　在什么条件下可以采用草皮护坡？它有什么优点？

在岸坡漫水时间不长，流速和波浪较小，且流向与河岸近似平行的堤段可采用草皮护坡。好的草皮护坡可抵御 1～2m/s 的流速。它的优点是施工简单方便,料源丰富,收益快,投资省,但它不适于水流冲刷力强的地方。

1.5.13 抛石护脚的优点和缺点是什么?

抛石护脚是采用较多的一种护脚方法。它的优点是由于块石呈散状,脚根不易发生猛墩猛蛰现象,并且有施工技术简单、进度快的特点。其缺点是由于散石块体体积一般较小,重量轻,易被急流冲走。基础土质较差的新修工程,不宜采用抛石护脚。沿河宽抛石护脚的范围应满足在水流淘刷的情况下,保证工程有足够的稳定性。

1.5.14 沉枕护脚的范围是什么?如何修建?

沉枕护脚的优点是整体性较散抛石好,具有一定的柔韧性,入水后能紧贴河床,防冲刷作用好。同时,用沉枕护脚,能就地取材,节约石料和投资。枕入水后结合压石和石笼,可迅速缓流落淤,防止冲刷堤岸。缺点是下沉时容易折断,寿命较短,一般能维持 10 年左右。在长江修建沉枕护脚,是先用柳枝(或苇、竹等)、小石捆成柳石枕,一般直径 0.62m,长 10m。在抛投时,一般采用单层,在局部较陡的险工段可抛 2～3 层。对于单层的也要增捆 15%的柳枕。枕的上限起点,一般应在常年枯水位以下 0.5m,以防遇到最枯水时,柳石枕因露出水面而腐烂损坏,缩短寿命。在沉枕的上面应加抛接坡石。枕的外脚可能因河床刷深使沉枕下滚或折断损坏,故要加抛压脚石。若河床有严重冲刷的可能,还要加抛压枕石,其厚度一般为 0.4～0.5m。

1.5.15　沉排护脚有何特点？常用的沉排按材料可分为哪两类？

沉排护脚的特点是整体性强，柔韧性好，抗冲能力强。一般沉排上头高程低于枯水位2m，下端按能保持岸坡稳定的要求确定。沉排按材料分为柳石沉排和软体沉排。

1.5.16　试述柳石沉排的制作与沉放。

柳石沉排是把用梢料制成的大面积排状体(图1-22)，用块石

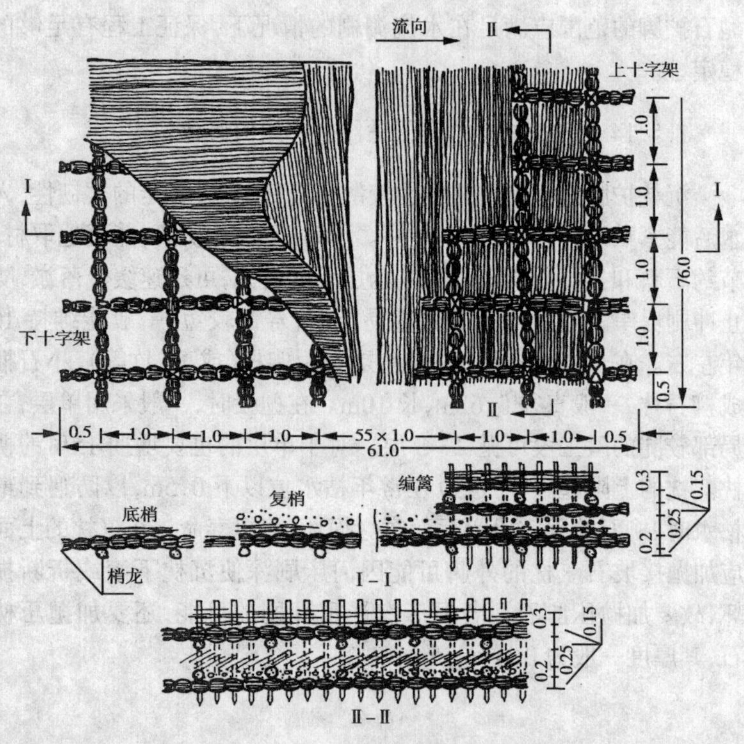

图1-22　沉排体结构示意图(单位:m)

压沉于近岸河床上，以保护河床岸坡免受水流淘刷的一种工程措施。它是用直径0.13～0.15m的柳把捆扎成1m见方、上下对称的十字格，作为排体骨架。在上下十字格间纵横各铺一层柳梢，上下对称的十字方格交点用铅丝绑扎，牢固连接起来。沿柳把打签桩，构成2m×2m或2m×4m（水流方向）的方格，每米柳把再打长1.5m、直径0.03m的签桩2～3根，串连上下十字格柳把，以加固其整体性，并在上十字格柳把以上留有一定的长度，其上用柳枝编成篱笆。排体中还要预先捆好系缆栓，以作为滑排、运排、沉排时的着力点。按此法做成的排体厚度约为0.75m。把沉排滑运到排位处后，先抛小块石（$d=0.1\sim0.2$m）压沉，再抛大块石护面。柳石沉排的压石厚度一般为沉排厚度的35%～40%。沉排处河床岸坡不能陡于1:2～1:2.5，否则应削坡至这一坡度。由于排体易于干枯腐烂，因而应沉放在枯水位以下，由沉排顶部往上加抛接坡石。为防止排脚被水流淘空招致排体的折断破坏，在沉排外脚必须抛压块石。

1.5.17 简述淹没式抛石丁坝的结构及其优缺点。

抛石丁坝是用乱石抛堆而成的（图1-23）。表面用砌石或大块石抛护，内部用小块石、砾石填筑。若在细砂河床上修建，可用沉排护底。抛石丁坝断面较小，顶宽一般为1.5～2.5m。迎水面和背水面的边坡系数为1.5～2.0，坝头部为3～5。其优点是坝体较牢固，施工简单方便，适用于水深流急、大溜顶冲及石料丰富的河段。缺点是造价较高。

1.5.18 简述淹没式土心丁坝的结构。

土心丁坝系采用砂土和粘土作坝体，用块石护坡护脚，沉排护底。顶宽3～5m，上下游边坡系数一般采用2～3，坝头边坡系数应大于3。坝顶、上下边坡均需防护。坝头全用块石抛护，其周围

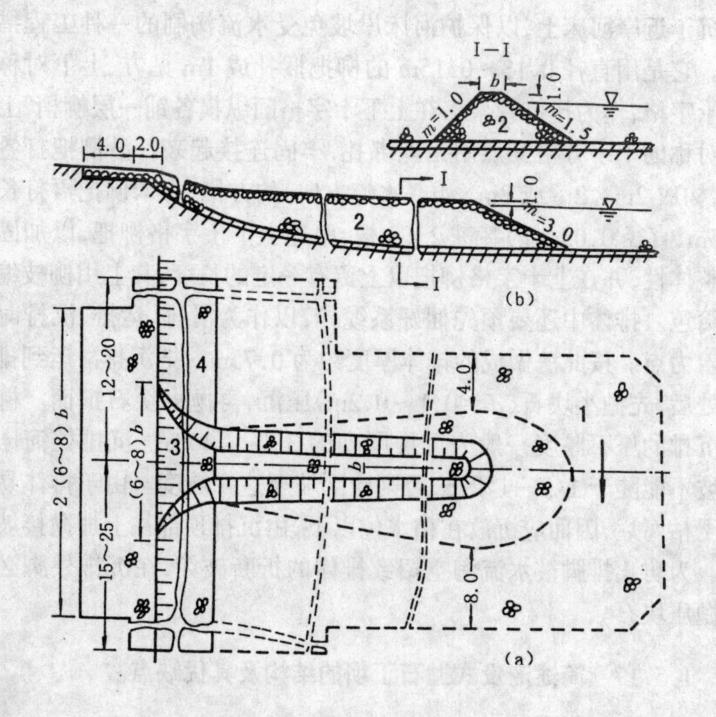

图 1-23　淹没式抛石丁坝(单位:m)

1—护底沉排　2—抛石　3—根部　4—根部衔接处护岸

抛块石或枕,以防冲刷下蜇。在块石与土之间均需设反滤层。长江下游修有土心丁坝。

1.5.19　什么叫锁坝?它有什么作用?

锁坝是一种横亘于河中,而在中、洪水位时可漫溢的坝。锁坝主要用于堵塞串沟或汊道,促使其衰亡,以加强主流,增加航深,在枯水季节起塞支强干的作用。潜锁坝常建在深潭处,增加河底糙率,起缓流落淤、调整河床和规顺水流的作用。图 1-24 示出的为抛石锁坝的结构图。

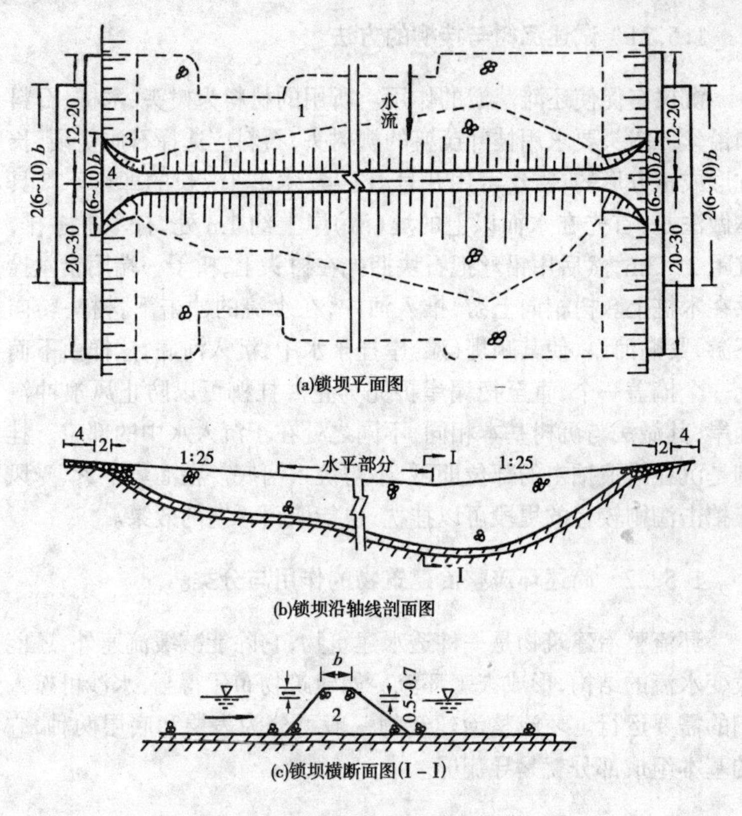

(a)锁坝平面图

(b)锁坝沿轴线剖面图

(c)锁坝横断面图(I－I)

图 1-24　抛石锁坝结构图(单位:m)

1—沉排　2—抛石　3—根部衔接护岸　4—根部

1.5.20　活柳透水坝的做法是什么?

活柳透水坝的做法是将一行高柳(高 1.5m 左右)和一行低柳(高 0.7m 左右)相间栽植,株距 0.5～1.0m,待柳成活生枝后,高低柳编织在一起,即成缓流落淤工程。坝长一般 50～80m,宽 15～20m。坝的方位根据水流条件而定。

1.5.21 试述沉树与挂柳的方法。

沉树有促使还滩落淤的作用。所用的材料为树头、木桩、石料和铅丝。树头要求用枝叶茂盛的柳树头,石料应选择石质坚硬,长方形或正方形的,铅丝可用8号、12号,木桩1m长的即可。其具体做法是:首先在水面以上的堤(滩)岸上约1m处,打木桩一排,桩距2～3m,然后用铅丝把石块捆扎在树头上,树干一端用铅丝拴系在木桩上。树梢向上游,推入河中,在水流的冲击下,树头转向下游,紧贴河岸,使其顺堤(滩)岸挂于水中,沉入河底,这样由下而上一个掩盖一个,直至把塌岸护完为止。挂柳可以防止风浪冲淘堤岸,其做法与沉树基本相同,不同之处在于沉入水中的部位。挂柳是沉在风浪拍击的部位即可,不需沉入河底。在溜势不紧、受风浪拍击淘刷较轻的堤段可以挂枕,也能取得一定的效果。

1.5.22 简述环流整治建筑物的作用与分类。

环流整治建筑物是一种透水建筑物,它除能减缓流速外,还能改变水流的结构,形成人工环流。如建筑物布置得当,水沙可按人们的需要运行。环流整治建筑物一般可分为表层和底层两种,它的基本组成部分就是导流屏。

1.5.23 试述单个导流屏的作用范围,并说明如何确定导流屏的尺度。

实践证明,单个导流屏激起的人工环流,能发展到水流的全部深度和宽度等于1～1.2倍水深的范围内。水流过导流屏后,环流逐渐减弱,当远离导流屏10～20倍水深的距离时,环流全部消失。为了产生较强的环流,必须合理选用单个导流屏的吃水深度 h、长度 t 及与水流的交角 α 的大小。若吃水太浅,形成的环流很弱,无法影响到全部水深。若交角过大,形成的环流虽然较强,但衰减快;若交角太小,形成的环流强度将很小。导流屏的长度与交角要保持相应的关系,交角越大,长度就越小。一般选用吃水深 h 为水深的0.2~0.4倍,长度 t 为水深的1~3倍,与水流的交角 α 以16°~18°为宜。

1.5.24 试述导流屏的结构型式。

导流屏的结构型式主要有以下几种:

(1)固定式导流屏。这种导流屏结构,多用木制或竹制。它适用于河床土质坚实、水深较浅的地方。将其固定在木桩上,淹没的深度随水位的升降而增减。

(2)漂浮式表层导流屏。它浮在水上,随水位的涨落而升降。它包括:①浮船式的导流屏,平面常是弓形或流线形;②上层构架,用以连接各导流屏,使之相互平行,并承受导流屏通过支架设备传来的水压力,还可当工作桥使用(称为硬式构架)或用绳缆连接导流屏(称为软式构架);③支承设备,作为固定导流屏用,以保持环流建筑物与河岸的相关位置。

(3)底层环流建筑物。它包括单层或双层的沉枕、两端固定在桩上的木板结构、单排编篱或中间填块石的双排编篱等。这种建筑物须防止基础冲刷,有时用沉排护底。

(4)夏德林工程师的导流编篱。这种建筑物是在水的上层导流与下面河底导流相结合的方式。上下两块编篱的交角是135°~150°,成斜向丁字形。上面编篱与水流方向成15°~20°的交角。入水深度最大为0.7倍水深。上下两层编篱的长度都是10~15倍水深。这种建筑物有时可在陆上施工。如若整治洪水河床,枯水时可在滩地上建造河底导流编篱及其他各种形式的导流系统。

第六节　河道整治工程施工与维修

1.6.1　河道整治工程施工的特点是什么？

河道整治工程施工的特点为：①工程量大。一处河道整治工程长度在2～3km以上，坝、垛几十道，若用平顺护岸，长度也达数千米。土方、石方、搂厢等工程量都大，体积在1万m^3以上。②工期短。施工多安排在春季枯水农闲季节，施工期一般1～3个月。春季流速小，护根容易；天气干旱少雨，气候适宜，便于施工。大部分工程都安排在春季完成。③用料多，运输任务大。石料在数万立方米以上，柳秸料在数十万乃至数百万公斤以上。这些料又得从工地以外调运，加之道路不便，常会遇到一些困难。④投资大。施工组织或施工方法略有不当，就会造成很大浪费，并会使工程处于被动防守状态。⑤施工条件差。有些工程需在滩地修筑，料物进滩缺少道路，施工人员的吃住也较困难。有时需在嫩滩或水中修建，当遇水位骤变，溜势顶冲时，常会出现猛墩猛蛰、迎水面后尾冲溃等险情，形势紧张，抢护的任务往往很重。

1.6.2　河道整治工程施工的基本原则是什么？

河道整治工程施工的基本原则是：

(1)严格按设计标准施工。一处工程的位置及平面形式是按上下游、左右岸统筹兼顾的原则规划设计的。如果施工中任意变动，将会影响河势流向的变化，使对岸及下游河势偏离规划的流路，给下游修筑工程带来新的困难。

(2)掌握有利施工时机。要利用枯水期的大好时机施工，这能提高施工质量，减少料物消耗，以后防守时也较主动。若失去有利时机,在水深流急的情况下施工时,难度加大,用料增多。在某种情况下,甚至会失去修工阵地,无法达到规划设计的要求,打乱下游整治工程的布设,同时使防守被动。

(3)备足料物。按照设计,施工中所需的石料、柳秸料,其来源需在开工前落实,在土方开工后即应运进工地。进料速度应达日用量的1.5~2.0倍。工程修完后应有一定的储备,以供抢险时使用。若施工期料物不足,或者难以按计划修工,或者冲垮已修工程,甚至有前功尽弃的危险。

(4)保证质量。河道整治工程多属永久性工程,只有保证质量,才能提高工程的抗溜能力,达到控导河势、稳定流路、护滩保堤的目的。施工中应严格按照有关的施工规范进行施工。

(5)厉行节约。由于河道整治工程量大,投资多,施工条件又差,尤其是水下施工,质量难以控制。组织得当,措施有力,方法对头,就能节约大量料物和投资。反之会造成很大的浪费。在确保质量和工程安全的前提下,严格控制工料投资、厉行节约是施工期必须认真贯彻的一项重要原则。

1.6.3 简述轻型河道整治工程的建筑材料。

轻型河道整治工程多是就地取材。常用的料物主要有土料、石料、软料及杂料。

土料主要用于修筑土坝体、搂厢时的压重。一般以壤土为好,土坝体的包边、盖顶及靠水部分要用粘土,以防河水及雨水的冲刷。

石料为块石(乱石),用于软料或石笼内的块石每块重量不宜太大,以人可搬动为宜,一般重20~35kg。块石缺少且附近有足够数量的砾石或卵石时,也可用其代替。用于固根护坡的块石,要按设计要求,争取使用大块石,并用适量的小块石填塞缝隙。

软料主要是指柳料、秸料、苇料等。柳料主要为柳枝,要求枝条细长，鲜柔带叶，以2～3年生的为好。短粗弯曲的不能使用。施工时要随砍随运随用，不宜久存。对于必须备存的柳料，要捆成柳把堆放成垛。柳把直径为0.15～0.2m，长一般6～8m，中间用16号或18号铅丝绑扎，间距0.2m。柳料有缓溜落淤、与河底结合紧密等优点，近年来采用最多。秸料，即高粱秆。以新的、干的、长的、整齐带根的为好。它可以储存3～5年的时间。储存时应晒干、根朝外，码成上大下小顶为屋脊形的秸垛，在四周培土、挖沟排水，垛壁抹泥防火，顶部泥顶或苫草防雨。秸料性质柔软，重量轻，体积大，修工来得快，且能缓和水流，是过去埽工中使用最多的料物。苇料性质柔软，形体直长易于捆扎密实，耐久性比秸料好，长短均可使用。选用时以长直粗状的为好。在上述软料不足时，也可用杨、榆、桑等树的树梢枝条代替。

杂料包括木桩、铅丝、麻绳等。木桩按长短分为长桩(3m以上)、短桩(3m以下)及签桩(1.0～1.5m)。短桩用柳木制作，受力大的最好用榆木制作。长桩以杨、榆、松木制作为宜。桩材必须圆直、无枝杈伤痕及劈裂情况。铅丝多用8号、10号、12号、14号、16号，根据需要可用单股、双股或多股。麻绳分为苧麻绳和苘麻绳两种，因苘麻绳贵，一般多用苧麻绳。麻绳质轻柔软，有一定的收缩性，易使埽体适应河床的变形，易操作，在埽体大、受力重时，麻绳比铅丝缆具有更大的优越性。铅丝的抗拉能力强，单价比较低，在可用铅丝的地方应尽量用铅丝。

1.6.4 在修埽时采用的家伙，按性质、桩绳之间的联结力、桩的位置可分成哪几类？其主要特点是什么？

在修埽时采用的家伙，按其性质分为软家伙和硬家伙。前者用的桩多，绳缆在桩上绕的圈多，绳缆的伸展性大，受力慢，埽体下沉一定深度后才开始承受拉力；后者使用的桩少，绳缆在桩上绕的圈数少，绳缆的伸展性小，受力快。按桩绳间的联结力大小，可分为重家伙和轻家伙。前者桩密绳多，联结力大；后者桩疏绳少，联结力小。按照桩的位置，可分为明家伙和暗家伙。前者全部桩绳在埽体外部；后者除顶桩外，桩绳都在埽体之内。

1.6.5 举出几个暗家伙和明家伙的例子，并说明拴打家伙的注意事项。

羊角抓子、鸡爪抓子、三星(图 1-25)、单头人(图 1-26)、棋盘(图 1-27)等为暗家伙，骑马、揪头和保占、包角为明家伙。在拴打家伙时，一般应注意：①用对称形式拴打，以求受力均衡。②腰桩

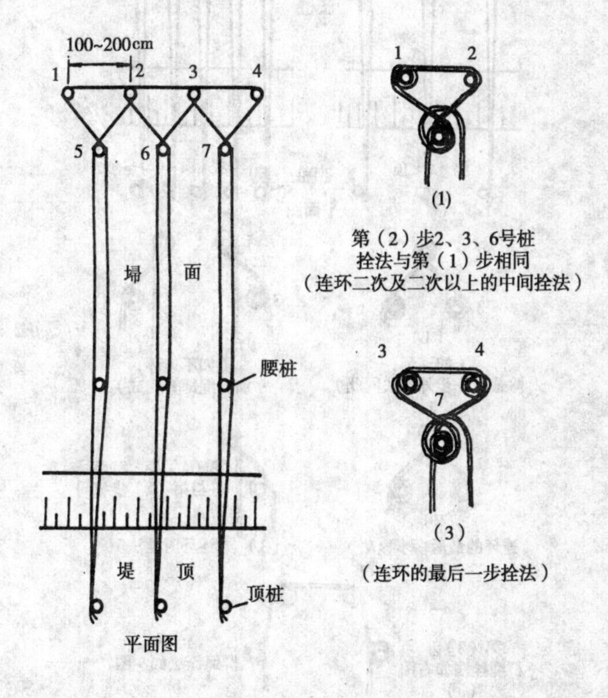

图 1-25　三星及其拴法

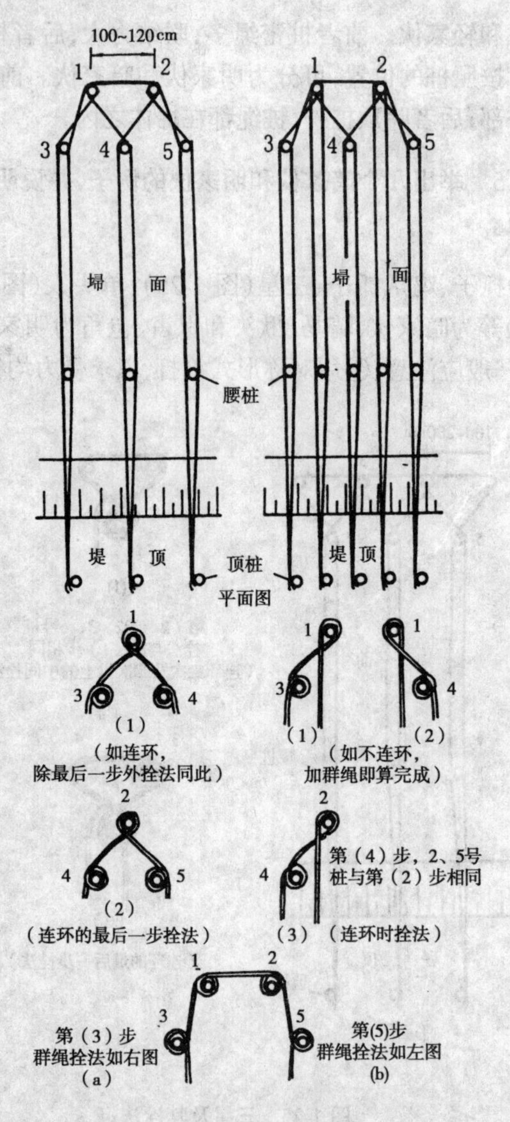

图 1-26　单头人及其拴法

一般打在埽后或老占坡脚前的埽面上，不能离坡脚过远，当埽面宽大，腰桩距家伙桩较远时，也可在其中增加1～2排腰桩。③凡能连环的各种家伙，均应连环使用，连环的次数视需要而定。④在桩上拴绳，一般先拴上扣，后拴下扣。一根桩上有两个以上的绳扣时，为了不使绳缆叠压过高，应在拴其上下扣之前，以单绳绕桩而过，不用缩扣。

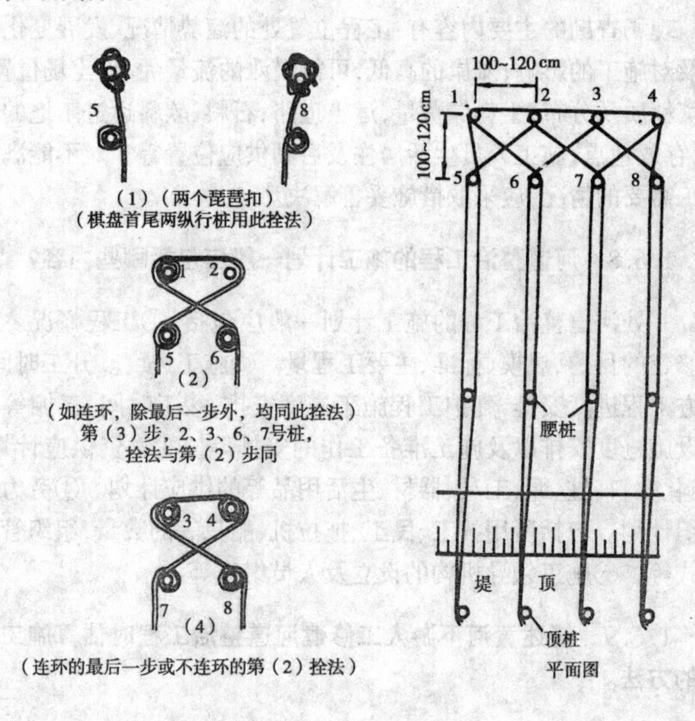

图1-27 棋盘及其拴法

1.6.6 河道整治工程设计主要包括哪些内容？

河道整治工程设计主要包括：修工缘由，河势演变情况，方案论证,工程位置,工程长度,弯道半径,出溜方向,坝垛数、间距、长度,与治导线的夹角,坝顶高程,裹护方法、标准,土、石、柳石工程量,人工,投资,施工要求及竣工时间等。

1.6.7 为做好施工设计而进行的现场查勘主要包括哪些内容?

现场查勘的主要内容有:工程位置处的溜势情况、发展变化趋势及对施工的影响;滩岸的高低,可能漫滩的流量大小;土场位置,土壤性质及分布,土料储藏量,运土道路;石料、软料运进工地的道路,存放地点;施工人员生活居住及后勤供应位置等。对不能满足施工需要的情况,应采取措施妥善解决。

1.6.8 河道整治工程的施工计划一般应包括哪些内容?

一处河道整治工程的施工计划一般应包括:①工程概况。工程修建的目的、规模、标准、主要工程量。②施工进度。开工时间,土方工程进度安排,裹护工程施工进度安排,竣工时间,工棚等临时设施进度安排以及施工准备工作的安排等。③物资供应计划。石料、软料、桩、绳、工具、器材、生活用品等的供应计划。④劳力等组织计划。包括所用技工、民工、拖拉机、船只等的数量,组织管理形式等。⑤施工领导机构的设立及人员组成等。

1.6.9 简述黄河下游人工修建河道整治工程时估算施工人数的方法。

采用人工施工时,在黄河下游采用下述方法估算施工人数:①按工日计算。即按工料定额计算出单坝所需的总工日,一般单坝施工期按 15 天左右完成,由此计算出所需的总人数。②按经验估算。每坝裹护长度按 50～80m,15 天左右完成。每坝需技工 12 人,民工 120 人。旱工人数酌减,深水酌增。若采取两班作业,人数加倍。③按修埽时各工种需要的人工比例估算。

1.6.10 简述裹护工程的旱工施工方法。

旱工修做裹护工程时,常采用的有柳石结构和石结构两种。

(1)柳石结构是采用捆柳石(淤)枕的方法。步骤为:①挖槽。根据设计的裹护长度,在坝的坡脚处挖槽,槽深1.5~2.0m,边坡1:1.0,底宽根据拟捆枕的数量确定。如底层3个枕,底宽挖3m。②捆枕。枕要分段捆,一般以长5~10m为好。上跨角及前头都要单捆成一段枕。注意两枕枕头之间不宜搭接。枕的高度及宽度要视河势变化而定。对于即将靠河的,可捆2~3排枕,高度与坝基顶平。其他情况可酌减。③盖土、盖石。对一时不致靠河的,为防止捆枕的铅丝被人拆开,暴晒后柳枝强度降低,甚至晒干后着火,在一道坝裹护完后,应在表层盖一薄层土。对于即将靠河的情况,若已捆枕较多,可在柳石枕上压石。

(2)石结构。即在槽的底部外沿用石笼围护,石笼每个1.0~2.0m^3,底部两排,高2~3层。其余用散石抛填至坝顶。顶宽0.7~1.0m,坦坡检平排整。在靠河之后,石料下蛰,为迅速抢护,仍以用柳石结构为好。

1.6.11 简述浮枕搂厢的修筑方法。

浮枕搂厢的修筑方法大体是:①了解溜势情况、河水深浅、河床土质情况。②整坦。将修埽处的堤岸坡削平顺,使之成1:0.5~1:1.0的坡。③打顶桩。在距堤肩2~3m的后边打桩一排或数排,桩长1.5m,桩距0.8~1.0m,排距0.3~0.5m,前后排应向下游错开0.15m。④捆浮枕。用柳枝等软料,捆成与计划搂厢段长度相等或略长、直径为1m的纯柳捆。⑤推枕入水。⑥铺底勾绳,并横向系绳或铅丝,使成“底网”。⑦底坯搂厢。在底网上铺柳,柳上压石,以不入水为度。石上再盖柳,打桩、搂回练子绳,拴在桩上。⑧逐坯加厢,直到埽体抓底。继而在埽前抛柳石枕等护根,埽顶压大土或石,以稳定埽体。⑨封顶。在压土或压石后,用柳枝缕口,上薄料厚土,并注意松绳,直至埽体不再下蛰为止。

1.6.12 修做浮枕搂厢时应注意哪些事项?

修做浮枕搂厢时应注意:①每加厢一坯,应适当后退,一般做成1∶0.3的外坡。坡度宜陡不宜缓,外坡不能缓于1∶0.5,以防埽体仰脸或前爬。②在搂厢之前及搂底坯时,应随时探明河底坡度、土质及淘刷情况,以便选用桩绳及料、土尺度。如遇淤泥滑底,或河床坡度较陡时,在铺完底坯后,可再打桩拴牢,以增加前爬的阻力。如遇流沙或“格子底”(即层淤层沙底)时,应赶抛柳石枕护根,并视情况增加打桩拴绳数量,以加大后拉力。③压埽土不论是用石或用土,均需按下述步骤进行,即自两边的上口和下口垫路到埽面前眉,逐渐往后退压。一般可按每立方米软料压土0.3m^3掌握,并结合河底土质、坡度和软料容重综合考虑。压土过多易使埽体前爬,压土过少,柳枝不能压实,易被水流冲失。④压土、压石的厚度。先薄后厚,随着向上加厢,逐坯稍微加厚。待埽体抓泥后,要加压大土,以便稳固。⑤柳石搂厢使用的家伙较为简单,多用羊角抓子(图1-28)、鸡爪抓子(图1-29)、三星等。每副家伙桩的间距为2.5～3.0m,最密不得小于2.0m。⑥大型搂厢工程常用搂厢船代替浮枕。

1.6.13 何谓柳石枕?在黄河上常用的尺度是多少?

柳石枕是用柳枝裹石料捆成的圆柱体(图1-30)。若柳枝不足,可掺杂其他梢料或苇料;石料不足可用碎砖、淤泥块代替。黄河下游所用的枕,直径一般0.7～1.0m,长度视工地条件及抢护需要而定,一般10m左右,也可15m,但最短应不小于3m。

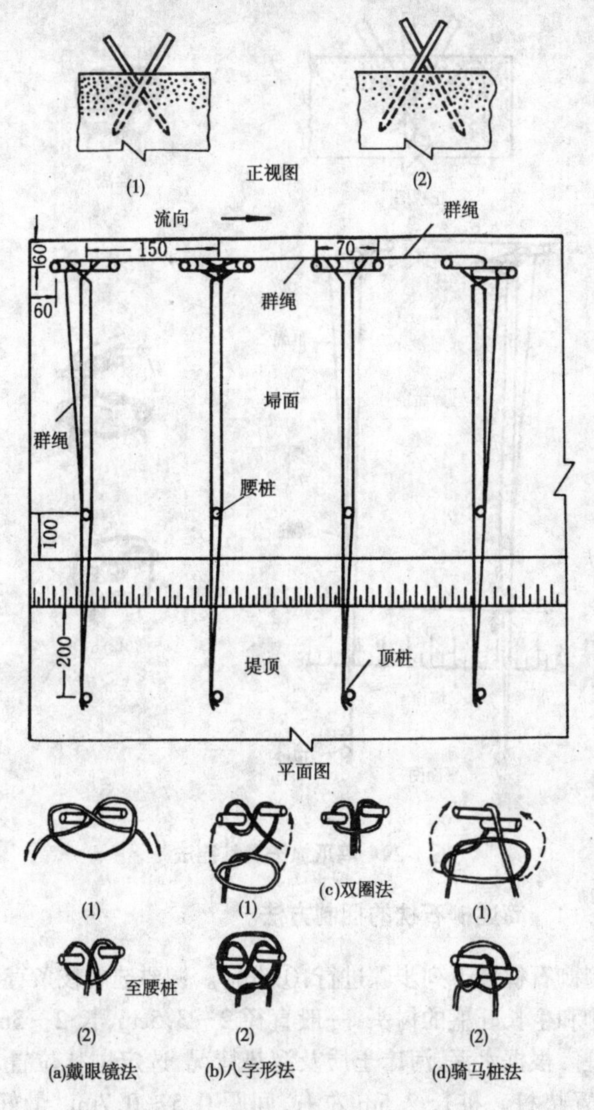

图 1-28　羊角抓子及其拴法(单位:cm)

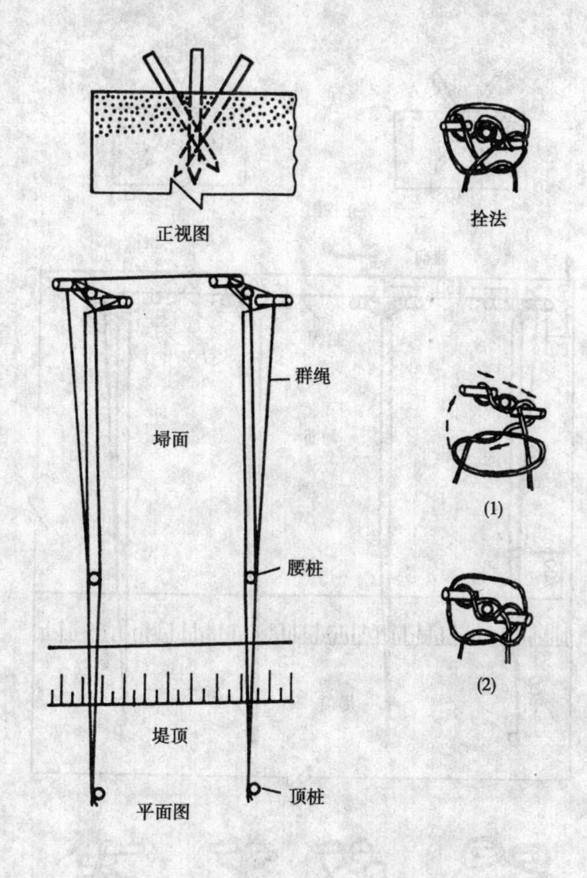

图 1-29　鸡爪抓子及其拴法

1.6.14　简述柳石枕的捆制方法。

捆制柳石枕按下列步骤进行:①选料。柳要选用枝条直长、柔韧的低柳和生长旺盛的树头,一般直径 2～3.5cm,长 2～3m。②铺设垫桩。根据水深、河床土质及溜势情况,选定抛枕位置,平整场地,放置垫桩。桩长 2.5m 左右,间距 0.5～0.7m。最好具有1∶10的斜坡,以便推枕。③铺柳放石。捆成枕后,石与柳的体积

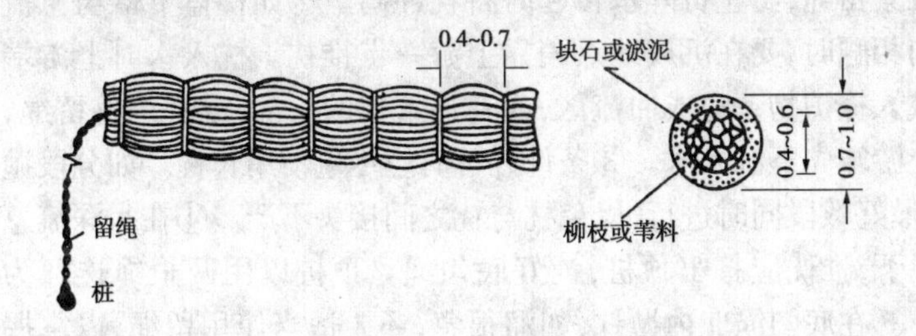

图 1-30 柳石枕示意图(单位:m)

比,一般为 1∶2.0～1∶2.5。首先在垫桩中部铺放柳枝,对直径 1.0m 的枕,铺底柳枝宽约 1.0m,压实厚度为 15～20cm。铺柳时,要分两层逆向铺放。柳上排石。排石形状是中间宽、上下窄、直径为 60cm 的近似圆柱体。两端要留出 40～50cm 不放石,以便盘扎枕头。排石半高时,放一层柳枝,压实后 5～7cm,并放入笼筋绳。石的顶部柳枝与铺底柳枝一样,分两层铺放,且在石的两侧也铺同样厚度的柳,防石外露。④捆枕。从枕的底部提起捆枕绳,先检查是否会把垫桩及横木捆于枕上。如无,把绳拉紧系牢,并将相邻两绳的余头互相连接起来,即告捆枕结束。

1.6.15 如何推枕? 推枕时应注意哪些事项?

推枕之前应根据工程要求、水流、河势情况,作好准备。先将留绳从背口挽于枕的两头,一条绳不足时,再接一条,上端系在桩上,并有一技工掌握松绳。推枕时要使每根垫桩有 1～2 人,立于背河侧,由指挥人员喊号,齐心协力把垫桩掀起,使枕平稳滑落入水,如有两端入水不平衡现象,由掌管留绳人员收紧下滑快的一端,放松慢的一端进行调整。要做到枕不扭折,不下败,沉放位置适宜。要避免枕与枕间交叉裂裆、搁浅、悬空和坡度不顺现象。抛枕时还应注意以下几点:①需在溜势紧急中推抛时,要掌握推枕时机,急流多有行阵性,要在行阵水下去以后的平稳时机,将枕推下,并拉紧留绳，防止行阵水再起时将枕冲离。②如枕体下落与急流方向相顺时，要在沉放地点稍靠上游一点推枕。枕入水时上游端宜藏入掩护物下边或回流区，或者加重枕的头部，或者调整留绳，使上游端先下沉入水。③条件许可时应尽量使用长枕。如分段抛枕，最好数段同时进行，以免枕与枕之间接头不严。④在水深流急情况下，推枕应打牢顶桩，铺好底勾绳。顶桩以用两根绳连环为好。⑤在底勾绳兜内抛枕，如溜很急，还要适当使用留绳，以掌握枕的下沉位置。⑥使用留绳或底勾绳时，其绳在推枕之前一般要先伸入水下，看管的人不得在桩上打死结，应随枕下沉迅速放松，以免断绳。⑦如大溜顶冲，河底继续淘刷，应在枕的前面再加抛几个枕，一般可达原抛枕高的一半。⑧在非大溜顶冲的工段抛枕，可多用柳少用石，或捆抛柳淤枕。⑨捆抛柳石枕不用垫桩，使用预制的枕架效果更好。

1.6.16 石笼的适用范围是什么？

石笼主要为铅丝笼，还有竹笼、荆条笼等。它适用于：①当整治工程遭受到大溜顶冲，抛块石有被冲走的可能时，应抛石笼，以压护水下根石坡面，防止急流冲揭石料。②在有一定基础的整治工程上使用石笼，宜抛在根石的中上部，因为冲揭根石底部的可能性小于中上部。③一般应在根石坍塌的陡凹处使用，不宜在平坦的坡面上使用。④当柳石枕抛在淤泥滑底上，大量前爬外移时，宜用石笼固脚止滑。

1.6.17 如何装笼、推铅丝笼？装笼、推笼应注意哪些事项？

装、推铅丝笼的大体步骤为：①先在坝下至水面约 0.5m 处绑扎“抛笼架”。②在抛笼架上放三根垫桩，以便推笼时掀动。③把网铺在垫桩上，并装石。装石时不要用力太猛，以免砸断铅丝，也可在笼四周铺放薄柳。石要装满，四周要装实放稳。用铅丝编网片时余的封口丝封笼口。④推笼。先推笼的上部，使笼的重心外移，再喊号一起掀垫桩，一鼓作气，把笼推下水。

装、推铅丝笼时应注意：①使用石料一般以块石或小块石为主。装笼时，应把小块石放在里面或在四周铺放一层柳枝，以免漏掉石块。②铅丝笼应抛在坝的上跨角和坝头局部淘刷严重的地方。③抛笼之前，应摸清根石坡度情况，以决定抛笼位置。若抛笼地点凹凸不平或下部过陡时，可先抛一部分散石，然后再抛笼。④铅丝笼一般要在根石顶上装封，利用窜板或撬棍，使之平稳入水。⑤装笼石块要轻放排紧，装石方量（自然方）不小于笼体积的110%～120%。封笼要严紧，封笼每米长应不少于4道。⑥装、推笼时应合理安排劳力。一般18人一个大组。分成两个小组，流水作业。一个小组8人负责装笼，其中5人运石，3人摆石；另一小组8人，负责封笼、推笼；其余工人截丝、递网及领工等。⑦装、推笼时要注意安全。⑧笼抛完后，应再探摸一次，将笼顶部分和笼与笼接头不严之处，用大块石抛填整齐。

1.6.18 如何编铅丝笼网片？

黄河上用的铅丝笼网片，多用12号铅丝编网，用8号或10号铅丝作框架。网眼0.2m，网分3m×4m不带耳及3m×4m两端带耳两种，网片均需事先成批编好存放备用。

编铅丝笼网片的方法有多种，现将$3m^3$石笼两端带耳的网片（图1-31）编制方法介绍如下：①选择宽敞平整的场地，按图中位置先打好小木橛（长约20cm）14根。②截框架（含边条）铅丝。用8号或10号铅丝，其长度按图中尺寸加1.0m，总长为31m。拴框架丝时按图中顺序为A、B、C、D、E、F、G、H、D、I、J、A、K、L。③截网条。用12号铅丝。每米宽网需铅丝长1.5～1.7m。起头用双条（间距0.2m），铅丝用两根长度。铅丝截长可用14m。④盘条。为便于编网，网条截好后，在中点对折，再从网条两端往中间盘成扁圈。⑤编网。在伸好的框架上,把盘好的条按 0.2m 一双(最边的一双留 0.1m),从对折处套在框架上,照上法每隔 0.2m 把全部条一一拧上。然后把已拧在框架边条上的各相邻的网条从一边依次相互拧起来,都拧成菱形孔,拧时,互拧成死扣,两手交叉,一次拧成,不要还手,否则拧不紧。每拧到边上,用网条在网框架上绕一下。两边两耳可单独编,条长为 1.7m×2=3.4m。⑥装笼后用细铅丝封笼口。在用铅丝笼抢险时,铺上网片,装好石后,把网片从四边向上收起,用细铅丝将边缝合,笼即成。

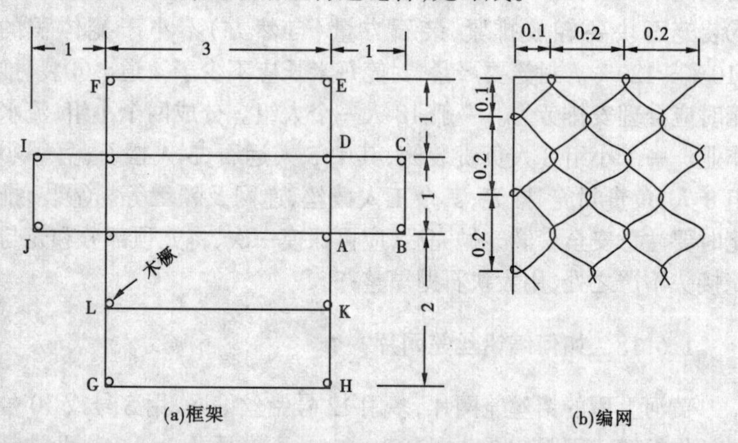

图 1-31　$3m^3$ 石笼铅丝笼网片编制方法(单位:m)

1.6.19　何谓沉排护岸工程?

沉排护岸工程就是用梢料(柳、杨、榆、桑等树梢)或混凝土块或塑料等建筑材料制成大面积的排状物,覆盖在河床水下岸坡及坡脚上,以抗御水流,防止冲刷坍塌。

1.6.20　简述柴排的施工步骤。

柴排的施工步骤是:

(1)做好沉排工地的准备工作。开工前根据1:2 000或1:10 000的地形图,按照设计要求,放立导线、断面标志,检验锚定船、定位船、扒杆船等机械、锚具及钢丝绳的规格、质量、数量,设立一定数量的活动码头和一座固定码头,安排好照明设施,搞好水上石护坡的削坡、放样及石料供应工作。

(2)做好排场的布置工作。排场即扎排的场所。其位置对工程造价和施工安全有直接影响。一般选在沉排区上游1~3km处的地势平坦又不被洪水淹没的地方。排场布置的内容包括:滑台、笼场、堆料场、道路、排水沟、照明线路、上料码头等。滑台的位置最重要,要选择在岸坡稳定、深泓不淤处。

(3)扎排。排体的重要材料是塘材、芦柴、木梗、小竹等。排体的筋骨主要有直龙、横龙,是由梢龙(柴把)在滑台上排列后用不同型号的铅丝捆扎而成的。扎排分五步:扎下十字格笼;铺芦柴、底梢和复梢;扎上十字龙;打木梗;编篱笆。

(4)沉放。扎成后的柴排由滑台上滑下,用拖轮拖运到施工区,通过定位船定位,锚定船和岸上地笼控制排位,按先下游后上游的原则逐块沉放。

(5)压石。为使沉排稳定下沉,并增加沉排的抗冲力,在沉放的柴排上应抛石压排。压排石的数量一般为0.2~0.3m^3/m^2。每块柴排沉放后需及时进行排头抛石。排头抛石用木船分区定位抛投,上至干砌护坡基槽,以起整体防冲作用。沉排护岸从断面上看大致是:枯水位以上为砌石护坡,枯水位以下,用沉排护根,砌石与沉排之间用排头抛石来连接。

1.6.21 在工地如何检查石料的质量?

在工地检查石料的质量常用看、听、称的方法。

看,就是观察岩石被打裂开的破裂面,颜色是否均匀一致,组织是否紧密、细致、均匀,层次是否明显等。颜色不均匀,有几种颜色夹杂其间,层次分明,破裂面呈锯齿形等均属质量不良的石料。

听,就是用手锤轻击石块,听其声音是否清脆。如不清脆,而呈哑音,即属较差石料。

称,就是其比重和吸水率是否合乎设计要求。其具体方法是,将石料烘干称其重量,放入盛满水的桶里,称出溢出水的重量。用石块的重量除以溢出水的重量即得比重。石块继续在水中浸泡,一昼夜后取出,擦干表面,称其重量,用石块增加的重量除以烘干时的重量即得吸水率。一般要求石块的比重在2.6以上、吸水率在10%以下时方可使用。

1.6.22 试述料石的分类及用途。

料石即为由人工开采修凿成形状规则的石料,分为条料石和一般料石两种。条料石一般宽、高各为30～40cm,长度为100cm或150cm。条料石以四棱上线、六面平整、八角齐全、不跛不翘为合格。条料石还可分为粗条料石和细条料石两种。一般料石又可分为四种:

(1)细料石。为规则的六面体,经细加工,表面凹凸深度不大于0.2cm,厚度和宽度均不小于20cm,长度不大于厚度的3倍。

(2)半细料石。除对表面凹凸深度要求不大于1cm外,其他规格与细料石同。

(3)粗料石。除对表面凹凸深度要求不大于2cm外,其余规格与细料石同。

(4)毛料石。规则的六面体,一般表面不加工或仅稍加修整,厚度不小于20cm,长度为厚度的1.5～3倍。由于料石砌筑的砌缝严密,整体性强,外形美观,所以一般用于人员活动较多的港口、码头、旅游胜地及水流冲刷力很强的部位。

对于有腹石的护坡、沿子石用料石,通常为粗料石或毛料石。与腹石接触部分加工可粗糙些,甚至不加工。一般规格是表现凹凸深度不大于 1cm,厚度 18～35cm,长度为 30～80cm。

1.6.23 如何使用不同规格的块石(乱石)?

由于块石(乱石)的形状不规则,其规格用重量表示。小块的称为小块石,每块重量 5～15kg。这种石料用于砌体内部填塞孔隙,或用作石笼、柳石枕内的填料,不得散抛于坝面。一般块石,每块重量在 15～75kg,常用在水上部分,重量不足 30kg 的不得用于散抛水下工程。大块石,每块重量 75～150kg,或更重,可用在坝的上跨角及前头水深流急的护根部位。黄河下游防汛备石多按一般块石,即按重量为 15～75kg 的要求备石;长江水下抛石按 30～50kg 的要求备料。

1.6.24 石方工程施工前必须做好哪些准备工作?

石方工程施工前的准备工作主要有三项:

(1)组织施工队伍。一处工程最好由一个施工队施工,当工作量大,需要多个施工队施工时,必须统一领导,统一规定,保证施工质量。施工队宜分成若干班,每班 10～20 人。除设正副班长外,还应有质量检查员和统计员,大的班还可设安全卫生员。班下分组,组的人员以砌石工为基础配人。每一砌石工以 2.5m 长的工作面为宜。按照砌石工的月进度配备检石工、运石工和填腹工。一个检石工可负责 1～3 个砌石工的用石。运石工的数量可按每日需石量、运输工具、运距等因素确定。填腹工根据砌石日进度及腹石宽度确定。一般的石工按每人每天砌 1m^3 砌体,填腹工每人每天填实腹石 2.5～3.0m^3,以此计算人数,并可在施工中调整。

(2)技术交底。由技术人员向参加施工的全体人员介绍工程的设计概况、工程的作用,树立质量第一和安全第一思想。对工程的标准、质量要求、操作方法、施工中易出现的问题、预防措施及处理办法等要重点介绍。必要时施工前对参加施工的人员进行技术培训。

(3)修坡。修坡是为了使石方工程施工按照设计标准进行。施工前将原有土坡修削至要求的内坡坡度,并把护坡的基础按一定的形状、深度开挖出来。修坡时应注意:①削坡不能过陡或过缓。②有粘土和防渗层时,应把所需要的厚度考虑在内。③补填土坡应按筑堤要求施工,粘土胎应按粘土斜墙要求施工。④考虑施工时的踏损,土坡上半部应留有一定的富余度。⑤弃土要远运。⑥坡顶要搞好排水。

(4)挖基。挖基时,无特殊要求时挖至设计枯水位以下 0.5m,基槽宽度,内坡起点宽出 0.5m,外坡起点应宽出 0.5~1.0m,以便放样。

1.6.25 简述平顺护坡直线段的放样方法。

平顺护坡直线段放样的常用方法是在护坡的土坡上,上下各设一根桩,然后拴线,使线的坡度等于设计的护坡外坡坡度,并且与外坡位置吻合。砌石时,以此线为准线,不得外出或内收,并要随时用坡度尺校测放样线。

1.6.26 简述石料扣石施工的质量要求。

石料扣石施工的质量要求为:①平缝和立缝的缝宽一般为 1cm,最大不得超过 2cm。②上下两层石料不允许有对缝和咬牙直缝。③上下两层石料口面接触深度不得小于较大石块长度的 1/3。④上下两层石料之间立缝和平缝相交处的三角缝应平整。⑤个别大头小尾的扣石与相邻石块侧面接触深度最短不得小于 7cm,且不得连续使用。⑥扣石外露面不得使用垫子石。扣石尾部也不能使用重垫子石(即两块垫子石重叠使用)。⑦应尽量选用适当的大块石。⑧坡度应该平顺,石块无里入外拐现象。⑨腹石必须严密平稳。

1.6.27 丁扣平缝干砌护坡沿子石应防止哪六种弊端?

在丁扣平缝干砌护坡沿子石时,应防止对缝、咬牙缝、悬石、虚棱石、坝面洞及燕子窝六种弊病。对缝是指上一层扣石的立缝和下一层扣石的立缝相对。咬牙缝是指上下层立缝相错的距离小于8cm的情况。悬石是指口面悬空高度大于2cm,深度大于10cm,累计宽度大于石料宽度1/2的。虚棱石是指上下两层石料口面接触深度小于较大石块长度1/3的。坝面洞是指上下两层石之间立缝和平缝相交处的三角缝平均凹入深度大于5cm,面积大于$30cm^2$的。个别大头小尾的扣石与相邻石块侧面接触深度最短不得小于7cm,尾部两侧要填塞严密。燕子窝即指留下的直径大于5cm的空隙。

1.6.28 试述护坡的平扣花缝干砌施工。

平扣花缝干砌多用于冲刷流速不大的地方。一般是将有较大平面的块石选出,打去飞棱虚角,依自然形状互相扣砌。石料的大面朝外与砌体坡面大致平行。但每平方米坡面需要有长30~40cm,端面大于$0.04m^2$的丁字石1~2块。沿子石的厚度以中心为准,一般为21~27cm,或按设计要求确定。外露面要保持一致,如用凸面石或平面石,但不得用凹面石。扣砌时要分层砌垒,逐层各成大致相等的锯齿形式,腹石要随沿子石逐层填平,但不得高出锯齿形的凹腰处,以利下层扣砌。相邻两石的扣压面,即上下两层的接头面,其接触部分应不小于相对面宽的2/3。石块的两侧面,接触部分应不小于相对面宽的1/2。坡面要尽量平顺,一般砌成弧形凸面,即蘑菇面。坡面相邻石块的接口头要打齐,其错口相差不得大于1.5cm。上下层石缝要相互错开,不得有对缝、斜对缝、交错小于8cm的咬牙缝等。各石缝要求与坡面垂直,尤其是受压面,禁止斜面相交,以免受力后被挤出。

1.6.29 简述坐浆法的操作方法。

开砌前要清洗基础表面。铺放第一层石时，所有石块都要大面朝下放稳，用脚踩不动为止。一般大块石下不应使用小块石支垫。填放腹石要按石块自然形状，交错放置，尽量使块石间的空隙最小。然后将按规定拌好的砂浆填入空隙中，以填满空隙的1/3～1/2为度。再按各个缝隙的形状大小，选用中、小石块放入，用小锤轻敲，使石块全部挤入缝隙内的砂浆中，填满整个缝隙。所有空隙原则上以一小块石挤入填满为好。挤入的小块石不要高于原砌的石面，也不必用灰浆找平。在第一层上接砌时，沿子石一定要先行试放，务使其贴实平稳，缝口合适，没有对缝、咬牙缝，缝宽保持2cm左右，并不得小于1cm，以便粘接。然后铺浆，浆液要离坡面外口4～5cm宽，厚度一般4～5cm，再行砌筑，在沿子石的压力下，灰浆外挤，能刚好填满灰浆，灰缝厚度约2cm。沿子石一经铺浆砌筑后，不得再行修打或更动，否则应重新铺浆另砌。如需在已砌好的沿子石旁边接砌时，应先在已砌好的沿子石侧面抹上灰浆，砌上后再用锤向已抹灰面处轻轻敲击，将侧缝灰浆挤实，继而填腹石。填腹石要先铺灰浆后填石，铺浆时要砌一块铺一块，以节约灰浆。

1.6.30 简述单层平扣平缝干砌施工。

一般江河湖海护坡工程及引水建筑物上下游护坡工程，多用单层平扣的护坡形式。其厚度较薄，一般为0.3～0.4m，可用单层平扣形式。这种形式常用厚大的块石，石厚常能满足护坡的厚度要求，因此石的大面朝外。为使砌筑紧密，常把石料选择加工成长方形或方形。砌石面要求与坡面平行一致，横缝可以成为一条水平的平缝，立缝和平缝相垂直。砌筑时由下到上分层砌筑，并需避免对缝、咬牙缝、坝面洞、燕子窝等弊端。由于砌体单薄，需要在石料下修做垫层。单层垫层的厚度一般5～20cm，常用不均匀性较好的碎石铺垫。双层垫层厚度一般10～25cm，由碎石、粗砂组成。上层略厚，下层稍薄。

1.6.31 简述水泥浆的拌和方法。

常用的砂浆有50号、75号、100号三种，砂浆可用砂浆搅拌机拌和，也可用人工拌和。后者应在薄钢板上或木槽内（木槽应事先浸湿）进行。拌和的常用工具有铁锹（或四齿耙）、水桶、喷壶、量灰砂用的量斗。拌前应按配合比量好灰砂。先将灰砂干拌三次，使灰砂颜色混合成完全一致，再慢慢倒入水湿拌三次，搅拌成干湿完全一样。此法称为三干三湿拌浆法。用水量一般为水泥重量的60%～65%。通常掌握用水量的方法是：将拌和好的砂浆捏成团，松手后不散开，同时也不能稀到砂浆从瓦刀上流下的程度。砂浆一次的拌和量要与砌石的速度相应，不可过多。拌和好的砂浆应在40分钟内用完。

1.6.32 使用砂浆时应注意什么？

使用砂浆时应注意：①砂浆拌和要严格掌握配合比。不能为了拌和省力多加水。②砂浆的一次拌和量不易过大，应随拌随用。水泥砂浆如超过40分钟的初凝时间，应禁止再用。③砂浆应拌匀，拌和好的砂浆不得有小块和离析现象。④运送砂浆应避免发生上水下砂、水砂分离现象。离析的砂浆在使用前必须重新搅拌。⑤拌制及运输使用的工具，使用前后应洗刷干净。⑥砂浆用于砌石勾缝，应将缝隙清洗干净，以便粘结。夏季还应在石上打湿，砂浆用于工程后应加以覆盖或洒水养护。

1.6.33 为什么要勾缝？勾缝可分为几种？砌石护坡如何进行勾缝？

勾缝有两个作用，一是加强缝口，增加缝口抵抗水流冲刷的能力；二是使建筑物层次分明，外表美观。勾缝分三种，即平缝、阴缝（凹缝）、凸缝。凸缝又可分为半圆形和带形两种。护坡工程多使用阴缝。浆砌石勾缝前，须将原缝自砌石表面凿进 2cm 深。如砌石时压有木条，或已留有 2cm 的空隙，即可省去此工序。若在砌石中砂浆未凝固前刮去 2cm，就会省力得多。然后用钢刷刷净灰缝，用水润湿，将砂浆用灰抿抹入即可。干砌石砂浆勾缝时，缝中要用水冲洗干净，勾缝时用水润湿石头，以使所勾之缝与干砌石粘结在一起。干砌石勾缝，也多采用阴缝，即缝要嵌入 2cm。

1.6.34 简述水上护坡的砌石施工方法。

抛筑护坡应由施工时水面起抛护，并一律进行排整。排整的要求是大石在外层，小石在里层，内外咬茬，层层密实，坡面平顺。抛护时先运石至坡顶，在坡下无人时方可抛卸，依其自重滚落至坡下。翻修坝垛可按照"由下而上，随抛随排，逐层排整紧密"的原则，每抛 0.5～1.0m 高时即进行排整。新修坝垛可按抛 1～2m 排整一次，或一次基本抛够高再进行坡面检平工作。坡面大块石排整有三种形式：①粗排块石。对于有一定根基的散抛块石护坡，当石料形状比较规则，长轴方向有一平面时，可做沿子石，齐头朝外，层层排成平整的坡面。②鱼鳞坡。当大石块形状不规则时，选用作沿子石的大块石，大面向下，层层排成鱼鳞形状的坡面。③牛舌坡。选用作沿子石的大块石，形状不规则。石块不按平排放置，而按长轴方向垂直于坡面，小头在外，大头在里，形如牛舌头状。坡面排整后要进行检查。最后要做好封顶排水，并在土石结合部每 10～20m，埋设长 0.5m，宽、高各 15cm 的混凝土标志桩。

1.6.35 简述黄河下游散抛根石的方法。

散抛根石在根石探测后进行,不得使用小块石。一般块石只能抛在流速较小的迎水面的中后部。受溜较轻的坝垛可用一般块石抛填。仍按大块在外、小块在内的原则抛投。受溜重的坝垛迎水面的前半部至下跨角流速大,冲刷严重,坡面应抛大块石。大块石不足时,可在重点部位抛大块石,或改用抛石笼。散抛块石时,直接由坡顶抛卸于坝坡上,依其自重下滑入水。抛的块石或停留在根石台上,然后人工抛投入水。损坏的坝坡在抛石结束后需检平。扣石护坡及砌石护坡抛根石时,要用抛石排或抛石滑板,以防砸坏原坝坡。抛根开始部位应先下游后上游,如水深流急,可先用大块石在下游抛一小石埂(阻挡冲下的石料),然后用一般块石逐步抛向上游。在抢险抛根时,一般水流很急,可先把石料运好,在出现急流间隙时,大量突击抛下,以免冲失。抛石结束后要进行探测检查。达不到要求的要进行补抛。水上部分并进行排整。

1.6.36 对船抛根石的一般要求是什么?

对船抛根石的一般要求是:必须在岸上指挥,做到抛石船定位准确,抛投均匀,数量达到设计要求。在一般的水流条件下,抛投的顺序是先上游,后下游;先深水,后浅水;先远区,后近区。对新修的护岸护脚工程,特别是在崩岸强度大的险段,其抛投顺序应改为从近到远,先抛护坡再抛护脚,并要连续施工,突击完成。

1.6.37 对丁坝坝顶存放备防石料的要求是什么?

坝顶存放备防石应归垛存放,位置适宜。为有利于抢险用料的运输,石垛应离开迎水面坝肩 3.0m 以上。垛高宜在 1.0~1.2m 之间,各垛大小保持一致。码垛要边齐顶平,整齐美观。堆石前应用干土铺垫,平整坝顶表面,然后用白灰标出各石垛的位置,并使各垛排列均匀整齐。

1.6.38 河道整治工程的管理采用什么制度?其主要任务是什么?

河道整治工程的管理主要是实行班坝责任制。做到分工明确,任务落实具体。短的工程一个班,长的工程可两个班或两个以上的班管理。班下分几个组,任务落实到组或人。其主要任务是巡查险情,观察河势,检平局部根石或坦坡,修整土眉子,铲修查水小道,冒雨查水放水,维护铭牌标志和探测根石的断面桩等。

1.6.39 简述河道整治工程管理人员对所管理工程应做到的“五知五会”。

河道整治工程的管理人员对所管工程应做到的“五知”是:①知工程概况。一处工程的始修时间,长度,裹护结构及围长,坝垛护岸道数,设计及竣工达到的工程标准,用石用柳数量,加高改建的次数、尺度、结构沿革等。②知重大历史河势变化及坝垛着溜情况。工程修建后,河势发生重大变化的时间、尺度、原因、着溜坝号、险情等。各坝垛靠溜、脱溜时间,经常着溜的坝号,近几年洪水期的靠河情况等。③知抢险用料情况。修建后各道坝垛共用了多少石料、柳秸料,出大险次数,抢护方法及用石数量。④知根石状况。根石的深度、坡度及变化情况。⑤知备料数量。工程储备的防汛料物的数量,分布地点等。

管理人员应做到的“五会”是:①会查险报险。查险是利用看、听、测三种方法,其内容有坝顶裂缝、坝坦坍塌或破坏情况、根石坍塌情况等。发现险情后,需认真分析研究,然后上报。报险的内容包括:工程名称;出险坝号、时间、部位、性质、原因、尺度、溜势情况;拟采用的抢护方法;计划用工用料等。②会抢险。抢险是坝垛因受水流冲刷遭到严重破坏,危及工程安全时,采用的紧急防护措施。一般为散抛块石、石笼、柳石(淤)枕、柳石(淤)搂厢等。③会整修。整修是指坝垛受到损坏后的修整,整修是在检查工程发现损坏后进行的。④会探摸根石。⑤会观察河势。

1.6.40 坝垛顶部经常出现的损坏现象有哪些?

坝垛顶部经常出现的损坏现象主要是由于暴雨时排水不畅产生水沟浪窝、备防石料坍塌、眉子土冲毁、裂缝等。滩地上的控导工程,还会由于洪水期漫顶,使土坝体遭受揭顶拉沟等破坏。

1.6.41 造成水沟浪窝的原因是什么?

造成水沟浪窝的原因,一般情况下多是由于坝顶凹凸不平,无排水措施;管理不善,下雨时不能及时排水,雨后出现的浪窝不能及时填垫,以致小浪窝发展成大浪窝;土质多沙,土坝修筑时铺土过厚,不能压实,两工接头用虚土填筑;暴雨集中,强度大,冲刷力强等。

1.6.42 坝垛坦坡经常出现哪些破坏现象?其原因是什么?

坝垛坦坡经常出现的破坏现象有:坦坡下蛰滑脱,表面出现裂缝,坡面外凸或内凹,坡度较陡的坦坡前倾等。产生的原因是根基下蛰;中常洪水对坝胎土的淘刷(即淘塘子);雨水在土石结合部冲刷成沟,形成暗浪窝等。

1.6.43 简述散抛块石护坡的翻修方法。

根据造成破坏的原因,确定散抛块石护坡的翻修方法。对于坦坡下滑脱落的情况,可将上部残留石料补抛到脱落部位,再将顶部空缺块石部位抛新石填补,最后整修好坡面及坦顶。对于坝胎土被雨水或河水冲淘,形成沟、窝,使坦坡凹陷者,可将凹陷部位的石料拆除外移,用粘土回填修复坝胎,然后再用外移石料回填,修复坡面。对于坝胎土被洪水淘刷后，坦石大量下蛰的情况，若找不到粘土，可将坦石拆除，先用柳枝铺填，必要时用懒枕的形式裹护，增强抗冲护胎能力，然后再用块石保护，恢复原坝坦。

1.6.44 简述扣石护坡的修复方法。

扣石护坡出现滑动、鼓肚、凹腰等破坏现象时，应先将破坏部位拆除，沿子石和腹石分放，反滤垫层扒除干净。如坝胎土被冲失，应用粘土回填夯实。然后按原设计垫层或反滤层逐一铺填，再自下而上，逐一填腹石及扣砌沿子石，并务使石块扣砌严密，交错压茬，不能松动。如坡面有较大的坝面洞、燕子窝时应用碎石填塞紧密，防止出现新的破坏。

1.6.45 坝垛护坡维修时应注意哪些事项？

坝垛护坡维修施工时应注意：①拆除旧坝坦时，一定要自上而下逐层进行，并要经常检查上下左右的土石情况。若发现下部及两侧石块有虚悬、蛰动或土坝体有松散裂缝等现象时，要立即停止工作，处理后方可继续拆除。②拆除旧坦坡的范围应超出坦坡损坏区 0.5～1.0m，以便新旧坦坡衔接牢固。③拆除旧坝坝坡，应按设计文件及基础、坝胎土含水量情况，留足坡度。一般砌垒坝自上而下在 2m 以内部分应不陡于 1∶0.5，超过 2m 应不陡于 1∶1.0。④所拆土、石要及时移放到适当地点，不得堆在坝顶边缘。⑤若扣砌坦坡仅下部局部损坏，面积又不大，经分析不需将坝坦全部拆除时，可只拆除局部损坏部位，但应特别注意观察其上的坦坡情况，严防下滑，必要时可每隔 1～2m 插打钢钎，以阻止上部护坡下滑。

1.6.46 简述根石的维修方法。

根石维修分为枯水位以上及枯水位以下两种情况。枯水位以下，当探测的坡度陡于稳定坡度时，抛散石或石笼加固维修。枯水位以上维修除按设计坡度整修外,可视情况分别采用乱石或扣石进行整修。乱石护根采用较多,但其抗冲能力较弱,大溜顶冲时常被破坏,有时也因冰凌撞击而破损,所以维修工作量大,但方法简单,仅将表面凹入部位进行填补,继而压茬排整即可。有时对受溜较重的上跨角及前头部位,也可采用石笼排砌。扣石护根抗冲力强,在砌石护坡及重力式砌石护坡中多采用。对于乱石护根破坏频繁的根石,也可改为扣石护根,但只能用干砌,不能用浆砌。扣石护根顶宽一般 2m 左右,边坡 1:2,根石顶与根石坡交界处一般都修成圆口,即所谓鱼脊梁骨形,以适应水流冲刷。丁扣护根施工时,应先将乱石护根表层整修平顺,在枯水位处留出足够宽度的脚槽,以便沿子石生根,然后自下而上逐层施工。

1.6.47 抛根石抢险后如何整修根石?

在坝垛基础出险后,经常采用从根石台上抛投块石、石笼等补充根石。在抛投料物后靠自重下移,往往造成根石台增宽及根石台顶面以下坡度过陡等情况。为保持坝垛安全,在抢险结束后,必须保持原设计的根石台宽度不变,多余的部分抛向水下,以防因根石平均坡度过陡再次出现根石滑塌。同时将水面以上的根石修成设计坡度,表层石块最好进行粗排。

第七节 河道观测

1.7.1 河势查勘中绘制的河势图主要应包括哪些内容?

河势查勘中绘制的河势图主要包括:①主流线的位置,险工、控导工程靠大溜及边溜的区段(注明坝号)。②水边线,心滩、潜滩的位置。③在分汊段,尤其在游荡型河段,应绘出诸串沟、汊流,并注明分流百分数。对那些距主河道远的串沟、汊道，要绘清分流口及汇入口的位置。在游荡型河段，潜滩不明显时，若水流已分股，可标出各股水流，并注出行流的百分比。④弯道凹岸、直河段的坍塌部位及凸岸的落淤情况。⑤注明局部的水流现象。

1.7.2 汛末河势查勘报告一般应包括哪些内容？

汛末河势查勘结束后，应把沿程绘的河势图进行整理清绘，并写出查勘报告，其主要内容包括：①查勘时间、流量。②水、沙情况，如汛期洪峰流量、水量、沙量及冲淤情况等。③河势现状及特点，汛期或一年来的河势变化等。④洪峰期间的漫滩情况，如漫滩范围、水深、淤积厚度、土质，串沟、堤河的淤垫情况以及新形成的串沟等。⑤河道整治工程出险情况、抢护措施。⑥坍滩还滩情况。⑦预估河势的发展趋势。提出拟新修建、续建河道整治工程的建议，以及对整治工程和整险的意见等。

1.7.3 基层单位对河道整治工程一般应进行哪些观测工作？

基层单位对每一处河道整治工程应进行以下项目的观测工作：①水位观测。险工和控导工程上都应设置水尺，及时观测水位。非汛期数天观测一次，汛期逐日观测，在水位变化迅速的涨、落水期间，要一日观测数次，必要时可逐时观测。②工程附近的河势观测。工程所在河段的河势流路，来溜方向，靠溜（主溜和边溜分别记载）坝号，水面宽度，工程开始靠河及脱河的时间，回流等局部水流现象等。可据此作出河势预估，对可能出险的情况，要做好料物准备。③险情观测。对于发生险情的丁坝、垛、护岸，都要记载出险原因，险情发生经过，出险时间、坝号、部位及尺度，抢护方法及用料情况。④维修加固登记。对进行维修或加高改建的坝，要对结构型式、施工情况、料物、人工等进行登记。对上述的观测资料要及时进行整理，以丁坝为单位建立河道整治工程的档案。

1.7.4 根石探测按时间可分为哪几种？其主要目的是什么？

根石探测按时间可分为5种。①汛前探测。了解靠河及汛期可能靠河坝垛的根石坡度情况，为汛期防守做好准备。②汛后探测。了解汛期根石坡度变化情况，为冬修和春修计划提供依据。③汛中探测。汛期洪峰回落或中水持续时间久时，坝垛长期被水流淘刷，为防止重大险情，要进行探测，以便尽早采取加固措施。④整险施工后探测。检查整修后的根石坡是否达到要求，作为竣工验收的准备。⑤抢险探测。出险后要探明根石情况及根石外土质，以便作出抢护方案。抢险之后要全坝探测，以确定在下次之前是否再行加固。

1.7.5 在黄河下游目前如何确定根石探测点的位置？

为了了解根石的变化，根石探测需固定断面位置。要准备好各个坝的平面图(可选用1∶500比例尺)，探测的断面位置要标绘在断面图上。断面数量一般是在坝的前头、上下跨角固定3～5个断面，其他部位每10～20m一个，垛的前头及上下跨角各一个断面，护岸每10～20m一个断面。如在上次的断面图上，标出本次探测的结果，更易看出根石的变化。每个坝上的诸断面要统一编号。每一断面的位置和方向要用两根混凝土或石桩标出，前根以埋设在护岸的土石结合部为宜。施测时按选定的断面从前桩前面的护坡外口开始，根石台的里外口各测一点，从根石台外口起，每隔2m测一点，遇有显著变化和特殊情况时加密测点。当测至根石外的河底泥土时，应向里1m测1点，向外2～4m再测1～2点。

1.7.6 如何绘制根石的断面图，并计算出根石的平均坡度？如何确定需要补充的根石量？

每次探测根石都应绘制平面图和断面图。在平面图上标出断面的位置。断面图最好先绘出上次的探测结果。断面图的纵横比尺要一致,一般采用 1∶200。断面的起点从坝顶面的前桩计算。在计算根石坡度时,起点应从根石台的外口计算。当根石台顶宽超过 2.0m,一般可用 2.0m 处作为起点。当无根石台时,可由护坡顶部外口为起点计算。断面图上应注出探测日期、水位及相应流量。在滩上探测时,应注明滩面高程。根石的坡面往往是凹凸不平的。计算平均坡度可采用简单的方法:用一透明直尺,一端置于计算起点,用目估法调整尺的位置,当尺外沿凸出坡面的面积等于凹入坡面的面积时,用铅笔标出。此线的坡度即为新测根石坡面的平均坡度。再从起点绘出设计的稳定坡度线至河底。两个坡度线与河底所围的三角形的面积,即为该断面需抛投的根石量。

1.7.7 根石探测应注意什么?

根石探测应注意:①测点要在施测断面上,测点的间距最好相等。②下锤要垂直,严防倾斜。③注意安全,在船上或木筏上深测时,船上的人均应配带救生衣。④在水流较深锥杆探不到底时,可用铅鱼系绳探测,但应考虑绳子被水流冲击的影响。校正的近似方法是:在锥能锥到底的急溜处,用锥及铅鱼比测,求出近似的校正值。

1.7.8 何谓河道大断面测量?如何计算断面的过水面积?通过断面测量主要可解决哪些问题?

河道大断面测量就是沿大断面线,测定河床线上若干点的位置、高程(或水深),连接相邻的点并参照断面的水位即可绘出河道大断面。水面线与河床线所包围的面积,即为断面的过水面积。其计算方法是,按照河床线的特点,在河床线上选取若干点作垂线,把断面分成若干个梯形。首先计算出各个梯形和两边两个三角形的面积,相加即得断面的过水面积。通过断面测量可以确定河道的横断面形态、河段比降,也可反映两测次之间断面的冲淤变化,并可用此计算冲淤量。河道大断面是分析研究横向、纵向冲淤变化规律及河道排洪能力的重要资料。

1.7.9 在河道大断面测量时,如何布置测深垂线?

在河道大断面测量时,布设的测深垂线必须以能控制河床线的转折变化为原则。一般在河床线的转折变化处布设垂线,主河槽垂线的密度应大于滩地,对于河床线变化复杂或为卵石河床时,测深垂线密度要大些。同时为了配合测速垂线,测深垂线的布设还要尽量均匀。另外,测深垂线的数目还应不低于有关规定中要求的最小测深垂线数。

1.7.10 如何测绘水下河道地形图?

测量水下河道地形图,需利用船只测得诸水下地形点(也叫测深点)的水深,利用水尺读数推算出测点的水面高程,利用陆上控制点求得测深点的平面位置,进而算出水下地形点的高程。将各测点的高程点绘在图上,并勾绘出等高线,即得水下河道地形图。

1.7.11 水深测量中常用的工具和仪器有哪些?其适用范围是什么?

在水深测量中常用的工具和仪器有:①测深杆。适用于清水和浑水,水深小于5m,流速不太大的河道。②测深锤。也称水铊。适用于清水和浑水,水深2~10m,流速小于1m/s的河道中。③回声测深仪。适用于清水,水深0.5~500m,流速不超过7m/s的情况。④浑水测深仪。适用于含沙量不超过200kg/m^3,流速不超过5m/s,水深1.2~20m的情况。

1.7.12 目测冰情包括哪些内容？水文观测和气象观测各包括哪些项目？

目测冰情包括：①一般冰情现象。结冰期、封河期、解冻期都要进行观测。在每日 8 时观测水位时，要对冰礁、冰塞、冰坝、封冻、清沟、冰裂等冰情现象进行观测，并要详细记载变化消失情况，记明第一次出现和最后消失的时间。②淌凌观测。出现淌凌现象后，必须于每日 8 时目测其疏密度，用占水面宽的百分比表示。并观测凌块的厚度、一般面积及最大面积、一般淌凌速度及最大流速。③封冻情况观测。若有岸冰形成时，应每日 8 时观测岸冰的宽度和长度。如遇卡冰封河、冰凌滑动和其他原因致使封冻长度和宽度变化较大时，观测员应观测断面上下 10km 的范围。

水文观测的项目主要包括水位观测、水温观测，有条件时也可进行冰流量观测。气象观测的项目主要包括气温、日照日数、风力风向、天气状况等。

第二章 堤防工程

第一节 概 述

2.1.1 何谓堤防?

堤防是一种挡水建筑物,修建在江河或沟渠的两侧、湖泊的周围、海滩的边缘、水库回水区外沿,主要用于挡水、防洪、输水防潮、防浪。堤身多用土、石等材料修成。断面为上小下大、两边具有坡度的梯形。有的地方风浪较大,土堤易被冲刷,使用石料或混凝土修建防浪设施。在交通要道处,为了上下堤的方便,常修建有上下堤防的坡道。在河流经过的城市或居民集中的地方,常用混凝土修筑成直立式防洪堤。

2.1.2 堤防的作用是什么?

堤防工程是水利工程的重要组成部分,主要作用是阻挡水流泛滥成灾。在江河两岸修建堤防,可以约束洪水,使其顺利入海,防止淹没农田、城市和各种经济设施,避免人民生命财产的损失。在湖泊周围修建堤防,可以缩小汛期淹没面积,增加湖泊蓄水调洪能力,减轻江河防洪负担。在沿海滩涂修建堤防,能阻挡潮水对沿海低洼地区的侵袭,增加陆地面积。在沟渠两侧修建堤防,可以增大沟渠输水能力。在水库回水区外沿规划允许的范围内修建堤防,可以减少水库蓄水时淹没面积,降低淹没损失。

我国堤防主要为江河堤防，其次为湖海堤防。这些堤防所防护的地区，人口密集，土地肥沃，农业生产发达，是我国粮、棉、油等农业生产的重要基地。各种工矿企业，分布在这里，是我国四化建设财力、物力、人力的核心地区。主要铁路和公路干线、水上码头、航空机场、通信干线等也都分布在这些地区。重要的城镇如北京、天津、上海、南京、武汉、九江、沙市、安庆、广州、郑州、开封、济南、蚌埠、沈阳、哈尔滨等都靠近大的江河。我国的堤防工程在国民经济建设中担负着重要的使命，其作用非常重大，一处堤防决口，影响到周围广大地区，给经济建设、国计民生带来很大困难。

在历史上我国是一个水灾频繁的国家。堤防决溢所造成的危害十分严重。长江自公元前 185 年至 1911 年，共发生水灾 214 次，平均约 15 年 1 次。1912 年以后的 43 年中发生水灾 11 次，平均 4 年 1 次，1931 年大水，淹没面积在 10 万 km^2 以上，受灾人口 2 835 万，死亡 14.5 万人，上至湖北沙市，下至武汉、南京、上海等城市全部淹没于洪水中。黄河素有“三年两决”之称。如清康熙在位前期连续 15 年中，有 13 年决口，清光绪在位 34 年中，有 25 年发生了决口，1933 年大水黄河两岸多处决口，仅长垣县临黄堤就决口 33 处，洪水延续了 8 个月，有 6 个省、67 个县受灾，受灾面积为 1.2 万 km^2，受灾人口 339.6 万，死亡 1.8 万人。

目前人口增多，农业、工矿企业等快速发展，基础设施增加，堤防决口所造成的损失，远比封建王朝时堤防决口所造成的损失大。

堤防在保障国民经济发展和人民生命财产安全方面有着重要作用。

2.1.3 堤防的种类有哪些？

堤防工程按其作用通常分为防洪堤、海堤、渠堤三大类。防洪堤又分江河堤、湖堤、库区堤、蓄(滞，行)洪区堤。

按建筑材料分为土堤、挡土墙堤、混凝土堤。挡土墙堤是在土堤前面用石或混凝土修筑挡墙防水。

2.1.4 堤防各部位的名称是什么?

堤防的顶部平面称为堤顶,两侧坡面称为堤坡,临水侧堤坡称为临水坡,背水侧堤坡称为背水坡,堤顶与堤坡交界的地方称为堤肩,堤防与地面相交的地方称为堤脚。

2.1.5 我国现有堤防长度有多少?

我国现有堤防 25 万多公里,其中主要堤防工程 5.6 万多公里,保护耕地面积 3 000 多万公顷,保护人口 3.2 亿多。

2.1.6 黄河下游大堤有多长?临背悬差有多大?

黄河下游共有堤防 2 290km,其中临黄大堤(不计河口堤)1 370km,左岸 747km,右岸 623km。堤防高度一般 7～10m,最高近 15m。临背悬差一般 4～6m,最大 10m。

2.1.7 我国堤防从何时起修筑?其沿革怎样?

我国堤防工程是劳动人民与洪水长期斗争的产物。春秋中期已逐步修堤,战国时期逐渐完备。公元前 651 年,齐垣公“会诸侯于葵丘”,提出了“无曲堤”的禁令,立下盟约大家共同遵守。春秋战国以后,我国进入封建社会,生产发展,人口大量增加,城市大批兴建,对防洪要求越来越高,堤防得到进一步发展与完善。

黄河有了堤防,洪水受到约束,生产发展有了保障。但洪水所挟带的大量泥沙淤积在两岸大堤之间,河床逐年抬高,主槽摆动,不断发生决口改道,使沿岸人民生命财产遭到破坏,直接影响了封建王朝的统治。因此,许多朝代都十分重视筑堤治河,每年从国库拿出大批经费,动员数万人修堤。

长江中下游堤防最早为汉代修筑的汉水襄阳大堤,到了晋代才开始修建长江干流堤防，著名的荆江大堤修于宋熙宁八年(公元1076年)，至今仍是江汉平原的重要屏障。

淮河大堤始修于汉代，以后为了保障运河以东平原低洼地区安全和利用运河导淮分归江海，又修建了淮阴至江都的运河堤，明永乐十三年(公元1415年)为了防止淮水东溢，修筑了洪泽湖大堤，全长约60km。

由以上看出，汉代以后，我国的堤防工程已遍及各大江河湖海了。

2.1.8 简述我国堤防施工的发展情况。

远在战国时期，我国的堤防施工就有了相当水平。已认识到施工的时间以春季3月为最好，这时土料较干，易于压实。夏季农忙劳力紧，秋季多雨土料湿，冬季土料冻结，修的堤不实。到了明代，堤防的布局已有周密的考虑。潘季驯在总结经验的基础上，创造性地把堤防分为遥堤、缕堤、格堤、月堤四种，因地制宜地布置在大河两侧。在施工方法和施工质量方面也都有了严格要求。清代又进一步发展，对堤线的选定、取土地点、质量要求、施工时间、运土工具、土方单价等都有了明确规定。筑堤强调了“五宜二忌”。五宜:一是“勘估宜审势”，要求在高的地方修堤，减少土方，堤线要弯曲，以便河槽摆动靠近堤防时，修坝挑溜外移。二是“取土宜远”，要求在临河距堤二十丈以外取土，土塘之间要有土格，以利交通并防止汛期顺堤根行洪。三是“坯头宜薄”，坯头是每层土的厚度，坯头薄了宜于硪实。四是“硪工宜密”，行硪时要求拉得高，落得平，连环打，硪花稠密。五是“验收宜严”，硪实之后以铁锥穿孔，依灌水多少确定合格与否。二忌是:“忌隆冬施工”，这时施工，土料冻结难以硪实。“忌盛夏施工”，这时滩地易上水，淹没土场。

2.1.9 简述我国古代防汛抢险的情况。

防汛抢险技术是随着堤防的产生而产生的,同时也随着堤防运用的实践而逐步发展。远在战国时期,人们就已认识到:“千丈之堤,以蝼蚁之穴溃”,汛期堤防挡水,一旦出现漏洞,就用“塞其穴”的方法抢堵。

宋代人们对水情、险情有了较深的认识,对立春以后来水叫“信水”;对二三月来水叫“桃花水”;4月来水叫“麦黄水”等。对大溜顶冲堤岸,造成坍塌叫“劄岸”,洪水漫顶叫“抹岸”,埽岸根部被水流淘空造成的坍塌叫“塌岸”等。出现险情用“埽工”进行抢护。

到了明代,防汛抢险技术有了较大的提高,特别是堤防防守方面,制度已比较完善,为了争取防守主动,加强了水情预报。创立了从上游到下游传递水情的制度。每5km为一站,逐一传递,传递速度要求每昼夜为250km。

清代的防汛抢险技术有较大的发展与提高。堤身堵漏已经采用了外堵、内堵、截堵三种方法。埽工抢险已很普遍,能够处理较为复杂的险情,修做方法也较完善。

2.1.10 堤防工程建设应严格遵守哪些规范?

堤防工程建设应主要遵循1998年10月发布实施的中华人民共和国国家标准《堤防工程设计规范》(GB 50286-98),1998年10月发布实施的中华人民共和国行业标准《堤防工程施工规范》(SL 260-98),1996年9月发布实施的中华人民共和国行业标准《堤防工程管理设计规范》(SL 171-96)。除以上三个规范外,还有相关的规范、规程。

2.1.11 简述现行河道黄河下游大堤的修建情况。

现行河道沁河口至兰考东坝头之间两岸的黄河大堤为明代所

建，已有五六百年的历史。东坝头以下至河口之间的两岸黄河大堤是清咸丰五年(公元1855年)铜瓦厢决口以后陆续建成的，也有一百多年的历史。

2.1.12 明代潘季驯对防汛抢险提出哪些意见?

潘季驯提出“河防在堤，而守堤在人，有堤不守，守堤无人，与无堤同矣”。同时还规定了“四防二守”制度。四防，即风防、雨防、昼防、夜防。在汛期大水时，无论风雨昼夜，都要加强防守。二守，即官守、民守，官守就是沿河设置管河机构，下有河兵分段修守。民守就是在河两岸设立护堤组织，划分责任段。汛期上堤，不来大水时修补堤岸；来大水时，分段巡查，出现险情时，白天挂红旗，夜间挂红灯，鸣锣传递，召集民夫进行抢护。

第二节 堤防工程规划设计

2.2.1 如何确定堤防工程的防洪标准及级别?

堤防工程防护对象的防洪标准应按照国家标准《防洪标准》(GB 50201-94)确定。堤防工程的防洪标准应根据防护区内防洪标准较高防护对象的防洪标准确定。堤防工程的级别按表2-1确定。

表2-1 堤防工程的级别

防洪标准［重现期(年)］	≥100	<100且≥50	<50且≥30	<30且≥20	<20且≥10
堤防的级别	1	2	3	4	5

遭受洪灾或失事后损失巨大，影响十分严重的堤防，其级别可

适当提高;遭受洪灾或失事后损失及影响较小,或使用期限较短的临时堤防,其级别可适当降低。采用高于或低于规定级别的堤防工程应报行业主管部门批准;当影响公共防洪安全时,尚应同时报水行政主管部门批准。

2.2.2 堤防工程规划应遵循哪些主要原则?

无论新建或改建堤防,规划时都必须遵循以下原则:①上下游,左右岸,统筹兼顾,合理安排。河道修建堤防后,洪水束范于两堤之间,修建不当可能使上游水位壅高,防洪任务加重,水面比降变缓,流速降低,河床淤积增加;或下游水面比降变陡,流速增大,冲刷河床,不利于防守。在中小型河道上,堤线规划不当,对上述问题反应十分灵敏。②划分等级,制定标准。一条大河蜿蜒千里,修建堤防后,不同河段的保护范围其重要性也不同,重要城市、交通干线临近大河,需要确保安全。所以在规划堤防时,应根据不同堤段保护范围的重要性,将堤防划分为不同的等级,选用不同的防洪标准和堤身断面。遇有超标准洪水,为了顾全大局,应设分滞洪工程,以减少危害和损失。③工程投资节约,施工方便。堤线绵长,穿越地区较多,情况复杂。规划堤防时,除应有利于宣泄洪水外,还应注意节约投资,施工方便,保证质量,按期完成。

2.2.3 堤防工程设计的主要任务和步骤是什么?

堤防设计的主要任务是根据防洪标准,确定堤顶高程、河道两岸堤防间的距离和堤身断面尺寸与材料。

堤防工程的防洪标准,是堤防应具备的防洪(或防潮)能力,一般用能防御洪水(或高潮位)的相应重现期(如 100 年一遇、1 000 年一遇)或出现频率(1/100、1/1 000 等)表示。

堤防工程设计的主要步骤是:

(1)防洪标准确定后,也就是设计洪水流量确定了。在堤距一定时，某一设计洪水流量必然对应于一设计洪水位。在堤距发生变化时，水位也要跟着变化，对堤的高度也要产生影响。堤距增大，防洪水位就要降低，堤防高度减小，投资省，防守任务轻，但是滩区大淹没范围大；反之，堤距小，防洪水位高，堤防高度大，工程量大，耗费投资多，防守难度大，但滩区小洪水期淹没范围小。因此，选择堤距与堤防高度有着密切关系。确定堤距一般用计算方法对几种方案进行比较以后，选定最佳方案。

(2)确定堤顶高程。堤顶高程为设计洪水位加堤顶超高，堤顶超高应根据实际情况，分别进行计算，最后确定。堤顶超高按下式计算：

$$H = R + e + A$$

式中 H——堤顶超高；

e——风壅水面抬高值；

R——波浪沿堤坡的爬高；

A——安全加高。

地震区的堤防，还要考虑地震引起的堤防沉陷和水面涌浪。在施工时由于地基受压变形，使堤防沉陷，应加基础沉陷高。

(3)设计堤防断面。堤防的断面一般设计为梯形断面，设计时必须满足以下基本要求：①堤身要有足够的重量和一定的边坡，以抵抗挡水以后的水压力，防止堤身滑动破坏；②堤的临水坡和背水坡，在水流浸入达到饱和后，仍能维持稳定，不致产生坍塌、滑裂等险情；③堤顶必须有一定的宽度，以满足防守交通等要求。1 级堤防堤顶宽度不宜小于 8m，2 级堤防不宜小于 6m，3 级及以下级别堤防不宜小于 3m。

堤身断面确定后需进行稳定计算，以校核所确定的断面在挡水运用时是否能够保持稳定。还要进行渗流计算，验算堤身堤基是否有足够的渗径保证堤坡渗水出逸点处土粒安全稳定，不发生管涌或流土等渗透变形。

2.2.4 堤线布置应遵循哪些主要原则?

堤线布置应遵循下列原则:

(1)河堤堤线应与河势流向相适应,并与大洪水的主流线大致平行。一个河段两岸堤防的间距或一岸高地一岸堤防之间的距离应大致相等,不宜突然放大或缩小。

(2)堤线应力求平顺,各堤段平缓连接,不得采用折线或急弯。

(3)堤防工程应尽可能利用现有的堤防和有利地形,修筑在土质较好、比较稳定的滩岸上,留有适当宽度的滩地,应尽可能避开软弱地基、深水地带、古河道、强透水地基。

(4)堤线应布置在占压耕地、拆迁房屋等建筑物少的地带,避开文物遗址,以利防汛抢险和工程管理。

(5)湖堤、海堤应尽可能避开强风暴潮的正面袭击。

2.2.5 确定堤距的原则是什么?

(1)河堤堤距应根据河道的地形、地质条件,水文泥沙特性,河床演变特点,冲淤变化规律,不同堤距的技术经济指标,综合权衡有关自然因素和社会因素后分析确定。

(2)在确定河堤堤距时,应根据社会经济发展的要求,现有水文资料系列的局限性,滩区长期的滞洪、淤积作用及生态环境保护等,留有余地。

(3)受山嘴、矶头或其他建筑物、构筑物等影响,排洪能力明显小于上下游的窄河段,应采取展宽堤距或清除障碍等措施。

2.2.6 怎样选择堤型?

堤防工程的型式应按照因地制宜、就地取材的原则,根据堤段所在的地理位置、重要程度、堤址地质、筑堤材料、水流及风浪特性、施工条件、运用和管理要求、环境景观、工程造价等因素,经过技术经济比较，综合确定。

根据筑堤材料，可选择土堤、石堤、混凝土或钢筋混凝土防洪墙、分区填筑的混合材料堤等；根据堤身断面型式，可选择斜坡式堤、直墙式堤或直斜复合式堤等；根据防渗体设计，可选择均质土堤、斜墙式或心墙式土堤等。

同一堤线的各堤段可根据具体条件采用不同的堤型，在堤型变换处应做好连接处理，必要时应设过渡段。

2.2.7 怎样确定堤防的安全加高？

堤防工程的安全加高值应根据堤防工程的级别和防浪要求，按表 2-2 确定。1 级堤防重要堤段的安全加高值，经研究论证可适当加大，但不得大于 1.5m。

表 2-2 堤防工程安全加高值 (单位:m)

堤防工程的级别	1	2	3	4	5
不允许越浪的堤防	1.0	0.8	0.7	0.6	0.5
允许越浪的堤防	0.5	0.4	0.4	0.3	0.3

2.2.8 堤基处理包括哪些主要内容？

包括软弱堤基处理、透水堤基处理、多层堤基处理和岩石堤基防渗处理等。

对堤基中的暗沟、古河道、塌陷区、动物巢穴、墓坑、窖洞、坑塘、井窖、房基、杂填土等隐患，应探明并采取处理措施。

2.2.9 堤基处理中，渗流控制、稳定和变形应满足哪些要求？

渗流控制应保证堤基及背水侧堤脚外土层的渗透稳定；堤基稳定应进行静力稳定计算，按抗震要求设防的堤防，其堤基还应进行动力稳定计算；竣工后堤基和堤身的总沉降量和不均匀沉降量应不影响堤防的安全运用。

2.2.10 何谓软弱地基？其处理的主要原则和方法是什么？

软弱地基是指软粘土、湿陷性黄土、易液化土、膨胀土、泥炭土、分散性粘土等。其处理措施为：对浅埋的薄层软粘土宜挖除；当厚度较大难以挖除或挖除不经济时，可采用铺垫透水材料加速排水和扩散应力，在堤脚外设置压载，打排水井或塑料排水带，放缓堤坡，控制施工加荷速率等方法处理。

2.2.11 透水堤基处理的主要原则和方法是什么？

浅层透水堤基宜采用粘性土截水槽或其他垂直防渗措施截渗。

相对不透水层埋藏较深、透水层较厚且临水侧有稳定滩地的堤基宜采用铺盖防渗措施。在缺乏铺盖土料的地方，可采用土工膜或复合土工膜，在表面应设保护层及排气排水系统。

深厚透水堤基上的重要堤段，可设置粘土、土工膜、固化灰浆、混凝土、塑性混凝土、沥青混凝土等地下截渗墙。

2.2.12 多层堤基处理的主要原则和方法是什么？

多层堤基处理可采取堤防背水侧加盖重、排水减压沟、排水减压井等措施。处理措施可单独使用，也可结合使用。

表层弱透水层较厚的堤基，宜采用盖重措施处理。盖重宜采用透水材料。

表层弱透水层较薄的堤基，如下卧的透水层基本均匀，且厚度足够厚时，宜采用排水降压沟。

弱透水覆盖层下卧的透水层呈层状沉积，各向异性，且强透水层位于地基下部，或其间夹有粘土薄层和透镜体，宜采用排水减压井。

2.2.13 选取堤身结构时一般应考虑哪些因素？土堤堤身设计时包括哪些内容？

选取堤身结构时一般应考虑经济实用、就地取材、便于施工，并应满足防汛和管理的要求。

土堤堤身设计应包括确定堤身断面布置、填筑标准、堤顶高程、堤顶结构、堤坡与戗台、护坡与坡面排水、防渗与排水设施等。

2.2.14 对各种筑堤材料有哪些要求？

(1)土料：均质土堤宜选用亚粘土，粘粒含量宜为15%～30%，塑性指数宜为10～20，且不得含植物根茎、砖瓦垃圾等杂质；填筑土料含水率与最优含水率的允许偏差值为±3%。

(2)石料：抗风化性能好，冻融损失率小于1%；砌墙石块质量可采用50～150kg，堤的护坡石块质量可采用30～50kg；石料外形宜为有砌面的长方形，边长比宜小于4。

(3)砂砾料：耐风化，水稳定性好；含泥量小于5%。

(4)下列土不宜作为堤身填筑土料，当需要时，应采取相应的处理措施：①淤泥或自然含水率高且粘粒含量过多的粘土；②粉细砂；③冻土块；④水稳定性差的膨胀土、分散性土等。

2.2.15 土堤的填筑标准是什么？

土堤的填筑标准，应根据堤防级别、堤身结构、土料特性、自然条件、施工机具及施工方法等因素，综合分析确定。

(1)粘性土堤的填筑标准应按压实度确定。压实度值应符合下列规定：①1级堤防不应小于0.94；②2级和高度超过6m的3级堤防不应小于0.92；③3级以下及低于6m的3级堤防不应小于0.90。

(2)无粘性土堤的填筑标准应按相对密度确定。①1、2级和高度超过 6m 的 3 级堤防不应小于 0.65;②低于 6m 的 3 级及 3 级以下堤防不应小于 0.60。

2.2.16 怎样设计堤坡及戗台?

堤坡应根据堤防等级、堤身结构、堤基、筑堤土质、风浪情况、护坡形式、堤高、施工及运用条件,经稳定计算确定。1、2 级土堤的堤坡不宜陡于 1∶3.0。

戗台应根据堤身稳定、管理、排水、施工的需要分析确定。堤高超过 6m 者,背水侧宜设置戗台,戗台的宽度不宜小于 1.5m。

2.2.17 怎样设计防渗设施?

堤身防渗的结构型式,应根据渗流计算及技术经济比较合理确定。

堤身防渗可采用心墙、斜墙等型式。防渗材料可采用粘土、混凝土、沥青混凝土、土工膜等材料。堤身防渗体应满足渗透稳定以及施工与结构的要求。防渗体的顶部应高出设计水位 0.5m。

土质防渗体的断面,应自上而下逐渐加厚。其顶部最小水平宽度不宜小于 1m,底部厚度不宜小于堤前设计水深的 1/4。

2.2.18 堤岸防护工程一般有哪些型式?

堤岸防护工程可选用下列型式:①坡式护岸;②坝式护岸;③墙式护岸;④其他防护型式。

2.2.19 堤防工程管理设计主要包括哪些内容?

堤防工程管理设计,应包括以下内容:①管理体制、机构设置和人员编制;②工程管理范围和保护范围;③工程观测;④交通设施;⑤通信设施;⑥生物工程和其他维护管理设施;⑦管理单位生产、生活区建设;⑧工程年运行管理费测算。

2.2.20 土是由几个部分组成的散粒集合体？

土是由土粒、水及空气三部分组成的散粒集合体。这三部分之间的数量比例和相互作用，决定着土的物理力学性质。

2.2.21 什么是土的容重？

土的单位体积重量称为土的容重，又称为自然容重，用 γ 表示，常用单位是 kN/m^3。

$$\gamma = \frac{W}{V}$$

式中 W——土的总重量；

V——土的总体积。

如果不考虑空气的重量，则其容重称为湿容重，即

$$\gamma = \frac{W_s + W_w}{V}$$

式中 W_s——土粒总重量；

W_w——土体中水的重量。

如果土体孔隙全部为水所充满，则其容重称为饱和容重，以 γ_f 表示，仍用上式计算。

如果土体完全没有水分，则其容重称为干容重。干容重是反映筑堤压实质量的重要指标。

$$\gamma_d = \frac{W_s}{V}$$

式中 γ_d——土的干容重。

2.2.22 什么是土的含水量？

土的含水量是土在 100～105℃ 下烘至恒重时所失去的水分重量与土粒重量之比，以百分数表示。

$$\omega = \frac{W_w}{W_s} \times 100\%$$

土的含水量是表示土中含水多少的指标,反映土的干湿程度,对压实质量影响很大,在筑堤施工中,要进行严格控制,不能过大或过小。

2.2.23 什么是土粒级配?

土中各种粒组的相对含量,用土粒总重量的百分数表示,称为土粒级配。

2.2.24 什么是土的塑限和液限?

粘性土由半固态转化为塑态时的分界含水量,称为塑限。当含水量进一步增大时,粘性土由可塑状态变为流动状态的分界含水量,称为液限。

2.2.25 土的渗透性及渗透定律是什么?

水在土体孔隙中流动称为渗透,土体具有被水透过的性能称为土的渗透性。水在土中的渗透速度与土体两端的水头差成正比,与渗透路径长度成反比,称为渗透定律。其表达式为:

$$V = K\frac{h}{L} = Ki$$

式中 V——渗透速度,cm/s;

h——土体两端的水头差,cm;

L——渗透路径长度,cm,;

i——水力坡降,为水头差与渗透路径长度的比值;

K——比例常数,称为土的渗透系数,cm/s。

渗透系数 K 是表示土体渗透性强弱的指标,K 大表示土体的渗透性强,K 小表示土体的渗透性弱。

2.2.26 何谓渗透变形？

在渗流作用下，土体处于被浮动的状态。当渗透水压力大于土的浮容重时，土粒就会被渗流挟带走，这种现象称为土体的渗透变形。

2.2.27 何谓浸润线和出逸点？

堤防挡水后，水便沿土的孔隙渗透入堤身、堤基内部，当堤身、堤基土质相同时，堤基因浸水早，受的水压力大，较早达到饱和状态，堤身内水分也由临水坡逐渐向背水坡发展，如果临河水面高，持续时间长，堤身渗水就达背河堤坡或堤脚。堤身内从临水坡向背水坡渗透的垂直截面，称为浸润面，浸润面的上面水面线称为浸润线。浸润线与堤的背水坡的交点称为出逸点。

2.2.28 修筑土堤为何要进行压实？

未经压实的土堤在挡水时，由于孔隙大，水很快渗入堤身，使土体松散，结构破坏，比较密实的地方破坏得轻，比较疏松的地方破坏得重。这种不均匀的破坏，常使堤身内部出现裂缝、空洞，甚至发展到堤的表面。水由裂缝、空洞穿过，浸润线位置抬高，即堤身内水头增大，进一步向背水坡浸入，使裂缝空洞扩大，水在裂缝空洞内流动，受到的阻力小，流速大，易于将土体内的土粒带走，最后形成穿堤通道而将堤身冲毁。许多堤防决口，就是由于堤身没有经过压实或压实不好引起的。

2.2.29 具体说明压实不合要求的土堤存在哪几方面的问题？

压实不合要求的土堤，土粒之间挤压不紧，相互之间的摩擦力小，在比较干燥时尚能维持稳定，在挡水后，一经水浸泡，土粒间摩擦力更小，使堤坡失去稳定，发生滑坡险情。如果堤坡受雨水浸湿，同样也会因容重增加，摩擦力减小，强度降低而发生滑坡现象。土堤填筑以后，不仅使基础发生压缩变形而沉陷，土堤的上部对下部也发生压缩变形，出现一定的沉陷量。没有经过很好压实的土堤由于空隙大，大堤自身的压缩变形量要比经过很好压实的土堤变形量大得多，这样堤身就可能因压缩变形不均匀，而出现裂缝，对堤身挡水后的安全极为不利。

2.2.30 挡土墙所受的土压力有哪几种？

挡土墙所受的土压力有三种，即主动土压力、被动土压力和静止土压力。挡土墙在承受土的压力时，如果这个力过大，挡土墙就要向前发生某种形式的位移。这时墙后的土体就要沿某一个破坏面发生滑裂，滑裂的土体对挡土墙施加的压力，就是主动土压力。如果在挡土墙前面施加一个很大的力，使挡土墙以某种形式向后移动，这时墙后填土也沿某一个破坏面发生滑裂，滑裂土体移动方向向后，这时滑裂土体对挡土墙后移施加的压力就称为被动土压力。当挡土墙在外力作用下固定不动时，墙后填土施加于墙的压力称为静止土压力。

第三节　堤防工程施工

2.3.1 堤防工程施工应积极推行哪三项制度？

堤防工程施工应积极推行项目法人责任制、招标投标制和建设监理制。

2.3.2 堤防工程必须依据什么进行施工？

堤防工程必须根据批准的设计文件进行施工，重大设计变更应报请原审批单位批准。

2.3.3 施工计划的主要内容包括哪些?

施工计划的主要内容有:①施工条件分析。分析施工现场地形、地物、土质、水文、气象、人口、劳力、工具、作物等对施工的影响,根据土方数量、运距、土质、工日等分析本期施工的基本特点。根据上述条件分析影响本期施工质量和效率的主要问题和重点段落,说明拟采取的主要措施。②选择施工方法。③确定工期和出工人数。工期长,用人少,便于施工管理,但间接费开支大;工期短,用人多,虽然有利于提高施工进度,但人员过多,可能造成窝工,管理困难,所以需认真进行比较。④确定基础处理的方法和措施。⑤临时设施安排。主要有施工领导机构及民工食宿地点、施工机械设备安置、施工道路桥涵等。⑥施工进度安排。将施工中各项准备工作,按日历时间顺序分别安排,保证各项工作有秩序地进行。

以上是指以人工施工为主的施工计划,以机械为主的堤防工程施工,其施工计划还应包括机械选型,机械配套、型号、规格、技术性能,机械的使用数量、备用数量、维修配件、维修设备,维修技术力量等。

2.3.4 哪些材料不宜用于修筑堤防?

淤泥土、杂质土、膨胀土、分散性粘土等特殊土料,一般不宜用于填筑堤身,若必须采用时,应有技术论证,并须制定专门的施工工艺。

土石混合堤、砌石墙(堤)以及混凝土墙(堤)施工所采用的石料和砂砾料质量,应符合《水利水电工程天然建筑材料勘察规程》(SDJ17-78)的要求。

2.3.5 修筑土堤时一般应如何开采土料？

陆上料区开挖前必须将其表层土杂质和耕作土、植物根系等清除，水下料区开挖前应将表层稀软淤土清除。

料场周围布置截水沟，并做好料场排水设施，遇雨时，坑口坡道宜用防水编织布覆盖保护。

在取土以前，应对土塘进行检查，测试各个土塘的土质、含水量、杂质含量等，确定土塘开采顺序。尽量选用两合土、风化粘土进行堤身填筑。在土塘之间土质发生变化时，可分组同时开挖两个或多个土塘。

在有多个土塘，且土塘之间土质和含水量变化不大时，一般宜先远后近，即先挖距堤远的土塘，再挖距堤近的土塘。这样有利于提高工效。但需使规定范围以内的近土能在竣工前充分利用，以缩短运距，减少工程投资。

各个土塘的含水量相差较大时，一般宜先开挖含水量较小的土塘，以使随着施工工期的延长，使含水量大的土塘能够有时间得到晾晒。在多雨地区，如低洼地区的土塘含水量虽然较大，若尚能满足施工要求，这时最好抢先开挖，以免雨后积水不能利用。

在一个土塘内取土，其开挖顺序根据土层情况和含水量大小确定。如土层单一，含水量较大，宜由近到远分层开挖。如果土塘含水量偏小，土塘又较大，这时分层开挖宜先将土塘进行分段，待一段土塘挖至计划深度或挖至含水量增大的土层时，再开挖另一段，一般近堤的一段先开挖。

土料的天然含水量接近施工控制下限时，宜采用立面开挖，若含水量偏大，宜采用平面开挖。

当层状土料有须剔除的不合格料层时，宜用平面开挖，当层状土料允许掺混时，宜用立面开挖。

冬季施工采料，宜用立面开挖，以减少土温散失。

2.3.6 修堤时如何进行堤基清理？

堤基基面清理范围包括堤身、铺盖、压载的基面，其边界应在设计基面边线外 30～50cm。堤基表层不合格土、杂物等必须清除，堤基范围内的坑、槽、沟、水井，应按堤身填筑要求进行回填处理。堤基开挖，清除的弃土、杂物、废渣等，均应运到指定的场地堆放。

基面清理平整后，应及时检验。基面验收后应抓紧施工，若不能立即施工时，应做好基面保护，复工前应再检验，必要时须重新清理。

2.3.7 近年来黄河修筑堤防时是如何清基的？

堤防施工时应对不良地基进行清理和加固处理。基础土质如为粗砂，堤防挡水后易产生管涌破坏，地震时易于液化，因此应全部挖除，并在堤身或临河堤脚用粘性土分层填筑压实，作为截渗墙。堤基如为干裂的淤泥层，亦应全部挖除，经重新粉碎后，再逐层回填压实。在施工前应将基础范围内所有的草皮、树根、砖石瓦片、腐殖土及其他杂质一律清除，坟坑、水井、水沟等均需分层填土夯实，并在上土前，对基础进行普遍压实，用拖拉机碾压三遍。

2.3.8 处理软弱堤基施工应注意哪些事项？

采用挖除软弱层换填砂、土时，应按设计要求用中粗砂或砂砾，铺填后予以压实。

流塑态淤质软粘土地基上采用堤身自重挤淤法施工时，应放缓堤坡，减慢堤身填筑速度，分期加高，直至堤基流塑变形与堤身沉陷平衡、稳定。

软塑态淤质软粘土地基上在堤身两侧坡脚外设置压载体处理时，压载体应与堤身同步、分级、分期加载，保持施工中的堤基与堤身受力平衡。

抛石挤淤应使用块径不小于 30cm 的坚硬石块,当抛石露出土面或水面时,改用较小石块填平压实,再在上面铺设反滤层并填筑堤身。

采用排水砂井、塑料排水板、碎石桩等方法加固地基时,应符合有关标准的规定。

2.3.9 处理透水堤基施工时应注意哪些事项?

采用粘性土做铺盖或用土工合成材料进行防渗时,应按《堤防工程施工规范》中防渗工程施工的要求进行施工。铺盖分片施工时,应加强接缝处的碾压和检验。

粘性土截水槽施工时,宜采用明沟排水或井点抽排,回填粘土应在无水基底上,并按设计要求施工。

截渗墙可采用槽形孔、高压喷射等方法施工,施工时难度较大或无现行规范可遵循时,应进行必要的技术论证,并应通过现场试验取得有关技术参数。

砂性堤基也可采用振冲法加固处理,但应符合有关标准的规定。

2.3.10 如何进行多层堤基施工?

多层堤基如无渗透稳定安全问题,施工时仅需将清基的表层土夯实后即可填筑堤身。

如果采用盖重延长渗径、排水减压沟及减压井等措施处理,应根据设计要求,执行《堤防工程施工规范》中“反滤、排水工程施工”一节的规定。

堤基下有承压水的相对隔水层,施工时应保留设计要求厚度的相对隔水层。

2.3.11 岩石堤基施工时应注意哪些事项?

强风化岩层堤基,除按设计要求清除松动岩石外,筑砌石堤或混凝土堤时基面应铺水泥砂浆,层厚宜大于30mm,筑土堤时基面应涂粘土浆,层厚宜为3mm,然后进行堤身填筑。

裂缝或裂隙比较密集的基岩,采用水泥固结灌浆或帷幕灌浆进行处理时,应符合《水工建筑物水泥灌浆施工技术规范》(SL62-94)的规定。

2.3.12 堤身填筑与砌筑有哪几种?

土料碾压筑堤;土料吹填筑堤;抛石筑堤;砌石筑墙(堤);混凝土筑墙(堤)。

2.3.13 土料碾压筑堤的填筑作业应符合哪些要求?

(1)地面起伏不平时,应按水平分层由低处开始逐层填筑,不得顺坡铺填,堤防断面上的地面坡度陡于1:5时,应将地面坡度削至缓于1:5。

(2)分段作业面的最小长度不应小于100m,人工施工时段长可适当减短。

(3)作业面应分层统一铺土,统一碾压,并配备人员或平土机具参与平整作业,严禁出现界沟。

(4)相邻施工段的作业面宜平衡上升,若段与段之间不可避免出现高差时,应以斜坡面相接,坡度可采用1:3~1:5,高差大时宜用缓坡。

(5)已铺土料表面在碾压前被晒干时,应洒水湿润。

(6)用光面碾,压实粘性土填筑层时,在新层铺料前,应对压光层面作刨毛处理。填筑层检验合格后因故未继续施工,因搁置较久或经过雨淋干湿交替使表面产生疏松层时,复工前应进行复压处理。

(7)若发现“弹簧土”、层间光面、层间中空、松土层或剪切破坏等质量问题时,应及时进行处理,并经检验合格后,方准铺填新土。

(8)施工过程中应保证观测设备的埋设安装和测量工作的正常进行,并保证观测设备和测量标准完好。

(9)在软土堤基上筑堤时,如堤身两侧设有压载平台,两者应按设计断面同步分层填筑,严禁先筑堤身后压载。

(10)在软土地基上筑堤,或用较高含水量土料填筑堤身时,应严格控制施工速度,必要时应在地基、坡面设置沉降和位移观测点,根据观测资料分析结果,指导安全施工。

(11)对占压堤身断面的上堤临时坡道,处理时应将已板结老土刨松,与新铺土统一按填筑要求分层压实。

(12)堤身全断面填筑完毕后,应进行整坡压实及削坡处理,并对堤防两侧护堤地面的坑洼进行铺填平整。

2.3.14 土料碾压筑堤的铺料作业应符合哪些要求?

(1)按设计要求将土料铺至规定部位,严禁将砂(砾)料或其他透水料与粘性土料混合,上堤土料中的杂质应予清除。

(2)土料或砾质土采用进占法或后退法卸料,砂砾料宜用后退法卸料,砂砾料或砾质土卸料时,如发生颗粒分离现象,应将其拌和均匀。

(3)铺料厚度和土块直径的限制尺寸,宜通过碾压试验确定;在缺乏试验资料时,可参照表2-3规定取值。

(4)铺料至堤边时,应在设计边线外侧各超填一定余量:人工铺料宜为10cm,机械铺料宜为30cm。

2.3.15 土料碾压筑堤的压实作业应符合哪些要求?

(1)施工前应先做碾压试验,验证碾压质量能否达到设计干密

表 2-3　　铺土厚度和土块直径限制值

压实功能类型	压实机具种类	铺料厚度（cm）	土块限制直径（cm）
轻型	人工夯、机械夯 5～10t 平碾	15～20 20～25	≤5 ≤8
中型	12～15t 平碾 斗容 $2.5m^3$ 铲运机 5～8t 振动碾	25～30	≤10
重型	斗容大于 $7m^3$ 铲运机 10～16t 振动碾 加载气胎碾	30～50	≤15

度值。若已有相似条件的碾压经验也可参考使用。

(2)分段填筑，各段应设立标志，以防漏压、欠压和过压。上下层的分段接缝位置应错开。

(3)碾压机械行走方向应平行于堤轴线。

(4)分段、分片碾压，相邻作业面的搭接碾压宽度，平行堤轴线方向不应小于 6.5m；垂直堤轴线方向不应小于 3m。

(5)拖拉机带碌或振动碾压实作业，宜采用进退错距法，碾迹搭压宽度应大于 10cm；铲运机兼作压实机械时，宜采用轮迹排压法，轮迹应搭压轮宽的 1/3。

(6)机械碾压时应控制行车速度，以不超过下列规定为宜：平碾为 2km/h，振动碾为 2km/h，铲运机为 2 挡。

(7)机械碾压不到的部位，应辅以夯具夯实，夯实时应采用连环套打法，夯迹双向套压，夯压夯 1/3，行压行 1/3，分段、分片夯实时，夯迹搭压宽度应不小于 1/3 夯径。

(8)砂砾料压实时，洒水量宜为填筑方量的 20%～40%；中细砂压实的洒水量,宜按最优含水量控制,压实施工宜用履带式拖拉机带平碾、振动碾或气胎碾。

2.3.16 碾压土堤雨天与低温施工时应符合哪些要求?

(1)雨前应及时压实作业面,并做成中央凸起向两侧微倾。降小雨时,即应停止粘性土填筑。

(2)粘性土填筑面在下雨时不宜人行践踏,并严禁车辆通行。雨后恢复施工,填筑面应经晾晒、复压处理,必要时应对表层再次进行清理,并待质检合格后及时复工。

(3)土堤不宜在负温下施工;如具备保温措施时,允许在气温不低于-10℃的情况下施工。

(4)负温施工时应取正温土料;装土、铺土、碾压、取样等工序,都应采取快速连续作业;土料压实时的气温必须在-1℃以上。

(5)负温下施工时,粘性土含水量不得大于塑限的90%;砂料含水量不得大于4%;铺土厚度应比常规要求适当减薄,或采用重型机械碾压。

(6)填土中不得夹冰雪。

2.3.17 堤防填筑的程序是什么?

堤防填筑是堤防施工中最主要的内容,各项填筑方法和措施都是围绕质量标准进行的。堤防填筑的一般程序是:①将土料由土塘挖起装车,运至施工段。②将土料运到施工段内卸下。③平土工或平土机械按规定铺土厚度平整土面,并按设计要求修筑边坡。④用压实机具将土压实至设计的干容重,然后重新进土料、平整、压实,反复进行。

2.3.18 土工进土时应注意哪些事项?

以人工为主施工时,在一个施工队一个工段,工段长度在60m

以内时，可从一端进土，另一端卸土；工段长度在60m以上时，可由中间进土，至工段的两端分别卸土。两施工队跨越部分，可逐层交替进行，当上土不平衡时，由高工段承担跨越部分的土方。新修堤防两边上土时，由工段的一端中间部位向堤边进卸，一边取土时，允许向不进土的一边进卸。旧堤帮宽可由工段的一端旧堤脚处开始进土。由一端或靠近一端的地方进土，其倾卸方式一样，均由里向外、由前向后依次进行。这样的优点是工段内工作面宽，道路坚实，轻重车进退干扰小，也利于平土工平土。

2.3.19 平土工平土时应注意哪些事项？

人工施工情况下平土工平土时应严格掌握铺土厚度，铺土厚度应根据设计干容重、土质、含水量、压实机具等并通过大量试验确定，一般均有明文规定，应严格遵守。平土时应将大于规定标准的土块打碎，清除土料中含的草根、树根等杂物。严格注意相邻工段接头处不应发生接头沟和码墙头，相邻工段应以1:3～1:5的缓坡相接。在旧堤加培时，为了新旧结合严密，平土工应将老堤开挖成台阶状。新修堤坡由平土工掌握修做，要求坡度满足规范要求，坡面平整，无凹凸不平现象。

2.3.20 为何要对筑堤土料进行压实？

筑堤土料通过压实，可以提高土的抗剪强度，降低土的压缩性和透水性。土的干密度从1.5t/m^{3}降至1.4t/m^3，即降低6.7%，则渗透系数较原先增加了47.5%，为维持堤身在单位长度的渗透流量不变，则堤身宽度也要增加47.5%，说明堤身压实是保证施工质量的重要一环。

2.3.21 影响土料压实质量的主要因素是什么？

压实质量主要受土质类别、含水量、铺土厚度、碾压遍数、机械重量、行驶速度等因素影响。

2.3.22 土料性质对压实质量有哪些影响?

以土质类别论,两合土的压实性最好,在一定的压实遍数内,土料干容重可随碾压遍数的增加而明显增加,砂土次之,粘土最差;以含水量论,在铺土厚度为0.25m时,碾压5~8遍,两合土的适宜含水量为12%~26%,砂土15%~26%,粘土16%~26%,从适宜含水量的变化范围看两合土变化范围大,压实时容易达到设计的干容重,粘土变化范围小。

2.3.23 铺土厚度对压实质量有哪些影响?

在碾压遍数、土质、含水量相同的情况下,随着铺土厚度的增加,干容重减小,对于粘性土尤其明显,砂土次之。其原因是,除了因压力向下传递扩散,使底层土受到的压力减小之外,由于粘性土的土粒之间存在凝聚力,外力首先传到表层土,使其很快得到密实,密实的土层增加了压力向下传递的阻力,使底层土得不到充分压实。砂土的这种上下差距小一些,两合土因颗粒级配较好,在土层不太厚时,上下层差别不大。因此,在施工中对粘性土的铺土厚度不能太厚。

2.3.24 机械碾压遍数和行驶速度对压实质量有哪些影响?

在其他因素相同的条件下,随着碾压遍数的增加干容重也随之增加,在增加到一定数值后,再增加碾压遍数,干容重增加的速度明显下降。碾压遍数少于一定数值时,干容重就达不到设计要求。土体的压实主要依靠压实机械的自重压力和振动压力,行驶速度快,能提高工效,但不利于提高质量;开行速度慢,能使土体受压时间长,压力有足够时间传递到底层土上,所以干容重随开行速度降低而提高。

2.3.25 试述用称瓶比重法测土料干容重的基本原理和主要操作方法。

黄河上修堤常用的测定土料干容重的称瓶比重法是根据物理学中的阿基米德原理,即一定容积的土,溶于水后,土的颗粒减轻的重量等于排开同体积水的重量。这种方法可以一次求得干容重和含水量,操作简单,但不适于粘性较大的土壤。其主要操作方法是用手铲铲去表土,环刀加帽压入土中,取出土样后,将环刀两端削平称重,减去环刀自重即得土样重 W,将称瓶装满清水,盖上玻璃片,以水与玻璃完全接触不留气泡为准,称其重量,得 W_1,然后倒出清水。将土样小心切入瓶内,加水 2/3,用搅捧搅拌均匀,等土块全部离解成散粒状后,再加清水,并冲洗取出搅棒,至瓶口快满时,盖上玻璃片,并留一缺口,慢慢加水,勿使溢出,至瓶口气泡为水充满,迅速盖上玻璃片,称其重量为 W_2,为混水瓶重。然后按下式计算土样的湿容重、干容重、含水量。

湿容重 $$\gamma = \frac{W}{V}$$

干容重 $$\gamma_d = \frac{(W_2 - W_1)G}{V(G-1)} = K(W_2 - W_1)$$

含水量 $$\omega = \frac{\gamma - \gamma_d}{\gamma_d} \times 100\%$$

式中 G——土的比重,砂为 2.65,两合土为 2.70,粘土为2.75;

V——环刀体积。

2.3.26 试述土壤含水量的测定方法

酒精烧干法是常用的精确度较高的含水量测定法,其主要步骤为:取土样 5~8g,置于重量为 W_3 的铝盒中,盖好盖,称其重量为 W_1,用点滴管将纯酒精 2~3g 滴入铝盒润湿土样。用盒底轻击桌子,使土样均匀,停三分钟后,将酒精点燃,经 3~4 分钟火焰熄灭时，再滴1～2g酒精在土样上，第二次点火，自熄后，同样点燃第三次，第四次……最后一次自熄后，盖上盖子在天平上称其重量为 W_2，则含水量 $\omega = \frac{W_1 - W_2}{W_2 - W_3} \times 100\%$。

2.3.27 收方常用的方法有几种？其优缺点如何？

常用的收方方法有两种，一种为收上方，一种为收下方。收上方是根据断面桩号施测横断面，在原始横断面图上绘制竣工断面图，相邻两桩号原始横断面与竣工横断面之间的面积平均值乘以相邻两横断面的间距，即得出此相邻两桩号之间的堤身上方量。收下方是丈量取土土塘的长、宽、深，计算完成的下方数。收上方精确可靠，施工管理方便。施工队采用承包的方式施工，多用收上方进行财务结算。收下方计算复杂，产生误差和虚报的因素多，管理工作跟不上会给国家造成经济损失，但土工对所完成的土方直观性较强，能随时计算出自己所完成的土方量。

2.3.28 人工施工时如何进行运距丈量工作？

运距丈量分4个部分：

(1)塘深加距。土塘平均深度不到1.0m时，可不计加距，超过1.0m时按表2-4加距。

表2-4 土塘深度加距表

土塘深(m)	1.1	1.2	1.3	1.4	1.5	1.6	1.7	1.8	1.9	2.0
加距数(m)	2.4	4.0	7.3	9.9	12.5	15.3	18.0	20.9	23.9	28.4

(2)地平距。地平距指土塘中心至上堤道口，重车所走最近线路的长度。遇有坡度其高差在1m以上时，按升降折距表换算为水平距离。其自起坡点至坡顶的斜距不再计入运距内。

(3)顶平距。顶平距由两部分组成，一是宽半距即顶宽的一半距离，按筑堤土方重心处的宽度计算；二是工段距，即土工在工段上沿堤线方向行走工段一半的距离，这里的工段是土工实际卸土范围内的工段，工段距按上堤口在工段的位置不同有三种计算方法：①上堤道口在工段中间，按 1/4 工段长度计算；②上堤道口在工段的一端按 1/2 工段长度计算；③上堤道口在工段的1/4或3/4处按1/3工段长度计算。

(4)升降折距。用单胶轮车人力运土升降高差折成平距的数值，可由表 2-5 查得。

表 2-5　　单双胶轮车重载升降折距表　　(单位:m)

垂直高差(m)	1	2	3	4	5	6	7	7m 以上每升降 1m 折平距
上坡	28	60	99	142	170	246	315	70
下坡	15	30	45	60	85	116	150	35

2.3.29　施工管理的任务和主要内容是什么?

施工管理工作的任务是把工地的各项工作组织好，做到有条不紊，相互协调，用最少的人力、物力、财力，按质、按量、按期完成筑堤施工任务。施工管理工作包括施工中的各个方面，主要有劳动组织、质量标准、计划统计、安全卫生、财务器材、生活供应、现场施工、机械管理等。

2.3.30　目前国内筑堤常用的铲运机有哪几种?其主要优点是什么?

目前筑堤常用的铲运机有 2.5m^3 拖式铲运机、6～8m^3 拖式铲运机、7～9m^3 自行式铲运机三种。与人工相比，工效高、成本低，具有挖、装、运、卸土料和压实 5 道工序一次连续完成的特点，可以节省劳力，便于施工管理，保证工程质量，争取工程完成时间。

2.3.31 试求铲运机筑堤的适宜工段长度。

铲运机筑堤的工段长度以60～100m为宜。太短了,铲运机在运土过程的自碾遍数少,土料不能压实到设计干容重,工段接头多,上下堤的道路多,影响工程质量;太长了,增加运距,降低施工工效,经济效益差。

2.3.32 堤防工程施工质量控制应包括哪些内容?

包括土料质量控制、堤基处理质量控制、堤身填筑与砌筑质量控制、防护工程质量控制、管理设施质量控制。

2.3.33 筑堤质量控制一般应遵循哪些规定?

(1)施工单位应建立完善的质量保证体系,建设(监理)单位应建立相应的质量检查体系,分别承担工程质量的自检和抽检任务,实行全面质量管理。

(2)工程质量检查人员所需资质条件以及工程质量检验的职责范围、工作程序、事故处理、数据处理等,应符合国家有关规定。

(3)应保证检测成果的真实性,严禁伪造或任意舍弃成果;质量检测记录应妥善保存,严禁涂改或自行销毁。

(4)堤防工程施工质量应包括内部质量和外部质量。

2.3.34 土料碾压筑堤质量控制应符合哪些要求?

(1)堤身填筑施工参数应与碾压试验参数相符。

(2)土料、砾质土的压实指标按设计干密度值控制;砂料和砂砾料的压实指标按设计相对密度值控制。

(3)压实质量检测用的环刀容积,对细粒土,不宜小于100cm^3(内径50mm);对砾质土和砂砾料,不宜小于200cm^3(内径70mm)。含砾量多环刀不能取样时,应采用灌砂法或灌水法。

若采用《土工试验方法标准》规定方法以外的新测试技术时，应有专门论证资料，经质检部门批准后实施。

(4)质量检测取样部位应符合下列要求：①取样的部位应有代表性，且应在面上均匀分布，不得随意挑选，特殊情况下取样须加以说明。②应在压实厚度的下部1/3处取样，若下部1/3的厚度不足环刀高度时，以环刀底面达下层顶面时环刀取满土样为准，并记录压实层厚度。

(5)质量检测取样数量应符合下列要求：①每次检测的施工作业面不宜过小，机械筑堤时不宜小于600m^2，人工筑堤或老堤加高培厚时不宜小于300m^2；②每层取样数量：自检时可控制在填筑量每100～150m^3取一个样；抽检量可为自检量的1/3，但至少应有3个；③特别狭长的堤防加固作业面，取样时可按每20～30m取样一个；④若作业面或局部近工部位按填筑量计算的取样数量不足3个时，也应取样3个。

(6)每一填筑层自检、抽检后，凡取样不合格的部位，应补压或进行局部处理，经复验至合格后方可继续下道工序施工。

(7)碾压土堤单元工程的压实质量标准，应执行表2-6规定。

表2-6　碾压土堤单元工程压实质量合格标准

堤　型		筑堤材料	干密度值合格率(%)	
			1、2级土堤	3级土堤
均质堤	新筑堤	粘性土	≥85	≥80
		少粘性土	≥90	≥85
	老堤加高培厚	粘性土	≥85	≥80
		少粘性土	≥85	≥80
非均质堤	防渗体	粘性土	≥90	≥85
	非防渗体	少粘性土	≥85	≥80

注　①新筑堤宜按工段内每堤长200～500m划分一个单元工程，老堤加高培厚可按填筑量每500m^3划分一个单元；②不合格样干密度值不得低于设计干密度值的96%；③不合格样不得集中在局部范围内。

(8)土堤竣工后的外观质量合格标准,应按表2-7规定执行。

表2-7　　碾压土堤外观质量合格标准

<table>
<tr><th colspan="2">检查项目</th><th>允许偏差(cm)
或规定要求</th><th>检查频率</th><th>检查方法</th></tr>
<tr><td colspan="2">堤轴线偏差</td><td>±15</td><td>每200延米测4点</td><td>用经纬仪测</td></tr>
<tr><td rowspan="2">高程</td><td>堤顶</td><td>0～+15</td><td rowspan="2">每200延米测4点</td><td rowspan="2">用水准仪测</td></tr>
<tr><td>平台顶</td><td>-10～+15</td></tr>
<tr><td rowspan="2">宽度</td><td>堤顶</td><td>-5～+15</td><td rowspan="2">每200延米测4处</td><td rowspan="2">用皮尺量</td></tr>
<tr><td>平台顶</td><td>-10～+15</td></tr>
<tr><td rowspan="2">边坡</td><td>坡度</td><td>不陡于设计值</td><td rowspan="2">每200延米测4处</td><td rowspan="2">用水准仪测
和用皮尺量</td></tr>
<tr><td>平顺度</td><td>目测平顺</td></tr>
</table>

注　质量可疑处必测。

第四节　堤防加固

2.4.1　为什么要进行堤防加固?

由于我国堤防多为从历代堤防沿变而来,既无正规设计,也无施工规范,施工粗放,堤基未进行认真处理,筑堤土质复杂,压实不密,质量不匀,接头多,又经多年运用失修,遭自然因素影响及人为破坏使堤防存在很多隐患,一遇洪水,则堤基、堤身易遭破坏,如抢护不及时,易造成堤防失事,因此必须进行堤防加固。

2.4.2　堤防加固工作的步骤是什么?

堤防加固工作的步骤是,首先进行堤防安全鉴定,对堤防的安全状况作出评价，提出需要加固的堤段范围和可能采取的加固措施。然后按不同堤段存在问题的特点分段进行加固设计。最后根据批准的设计文件，严格按照施工规范进行施工。

2.4.3 堤防隐患常见的有哪几种类型？

(1)动物洞穴，害堤动物主要有獾、狐、鼠、蛇等。

(2)白蚁穴，我国南方各省堤防多见，其主巢直径大于0.8～1.5m。

(3)人为洞穴。堤身有防空洞、藏物窖等隐患存在。

(4)暗沟。由于筑堤时局部压实质量差，或在两工段接头处有虚土，在雨水或河水浸入后，容易形成暗沟。

(5)虚土裂缝。筑堤时，由于压实不均匀，或老堤帮宽时未很好地开蹬刨毛，或使用含水量很大的土料筑堤等原因，容易产生裂缝。

(6)腐木空穴。堤身埋有树干，年长日久，腐烂形成空洞。

(7)土石结合部压实不好。堤防上的涵闸、虹吸及其他穿堤建筑物由于周围的填土质量不好、压实不牢等而引起接缝渗漏，造成险情。

(8)基础有强透水带。大堤修建在历史决口口门处，其底部埋藏有秸料、柳料、石块、桩绳等透水性很强的杂物，或大堤修建在古河道等粗砂及砂卵石地基上，汛期容易产生堤基严重渗透，引起管涌、流土等险情。

2.4.4 常用的堤基渗水加固措施有哪些？

(1)截渗槽。适宜于浅层透水堤基，施工技术简单，防渗效果可靠。

(2)铺盖。适宜于相对不透水层埋藏较深，透水层较厚的堤基，并且临水侧有较稳定的滩地。铺盖不能完全截断水流，可以增加渗透路径,减小渗流的水力坡降。一般采用粘土修筑,在缺乏铺盖土料的地方,可采用土工膜或复合土工膜修做。

(3)截渗墙。适宜于深厚透水堤基上的重要堤段。施工技术比较复杂,常采用开槽形孔,然后灌注混凝土、水泥粘土浆、固化灰浆、沥青混凝土等材料。也有用轻型截渗墙如高压喷射、射水法及灌注桩做截渗墙的。其防渗效果明显,但成本较高。

(4)灌浆帷幕。适用于在砂砾堤基上的特别重要的堤段,对于粒状材料浆体可灌性差的堤基,可采用化学浆材灌浆,或用粒状材料施灌后再灌化学浆材。这种方法技术复杂,造价高。

(5)板桩截渗。这是一种比较古老的截渗方法,分钢板桩、混凝土板桩、木板桩三种。其施工技术比较复杂,造价高,截渗效果并不可靠,50 年代和 60 年代我国堤防工程中曾经采用,最近采用此方法者甚少。

2.4.5 常用的多层堤基加固措施有哪几种?

(1)堤背水侧加盖重。适用于表层弱透水层较厚的堤基,其施工方法比较简单,常用的有碾压式土后戗、吹填式淤背、自流式淤背等。盖重宜采用透水性材料修筑,以免抬高堤身的浸润线,盖重的厚度和宽度,应通过计算并结合已有经验和实际情况确定。用盖重加固堤防,施工简便,投资省,进度快,效果好,不仅起到防渗作用,并且对抗御地震、防汛抢险、增加堤防稳定性,均有一定作用,因此是目前国内采用最多的一种堤防加固措施。

(2)减压沟。适用于表层弱透水覆盖层较薄且透水层较单一均匀的堤基,往往结合上游铺盖形成一套完整的防渗措施。这种措施的优点是:①避免堤防背水侧地面沼泽化。②避免堤防背水侧地面发生管涌或流土。③降低堤身浸润线,使堤基渗水按指定的位置排走。减压沟有明沟、暗沟两种,暗沟可避免淤塞。排水降压井的平面布置宜靠近堤防背水堤脚,以迅速降低堤身浸润线和堤基的渗透水头。

(3)减压井。适用于弱透水覆盖层下卧的透水层呈层状沉积，各向异性，且强透水层位于地基下部，或其间夹有粘土薄层和透镜体。设置了减压井后，可避免堤防背水侧地面发生沼泽化、管涌或流土，也可降低堤身浸润线。但是，减压井会使堤基渗流量增大一些，堤基透水层中的渗流速度和水力坡降都会增加。堤防工程绵延在旷野，堤线很长，给管理工作带来很多困难，沿堤修建减压井，易造成人为破坏，又因堤防是季节性挡水，减压井是否堵塞失效，平时很难观测出来。由于以上原因，减压井在堤防工程加固中应用较少。

2.4.6 常用的堤身加固的措施有哪几种？

(1)锥探灌浆。锥探灌浆是处理堤身隐患、提高堤防抗洪能力的一项经常采用的重要措施。适用于堤身内部宽度在1mm以上的各种裂缝、洞穴，腐朽的秸料、桩木、树根、砖石层，以及土与混凝土结合部的裂缝等。空洞灌压后的干容重一般在15kN/m^{3}以上。

(2)劈裂灌浆。堤防高度在5m以上，且填筑质量普遍不好以及有隐患的堤段，可采用劈裂灌浆进行加固处理。我国已有数千公里堤防采用劈裂灌浆进行加固。根据试验，劈裂灌浆在堤身内部形成一定厚度顺堤方向的浆脉，结构密实，干容重一般在14.17 kN/m^{3}以上，渗透系数可达10^{-6}～10^{-8}cm/s。

(3)开挖回填。当堤身存在较大范围裂缝、孔洞、松土层或堤与穿堤建筑物结合部出现贯穿裂缝，以及堤身出现局部滑塌时，应开挖并回填密实。

(4)帮宽堤身或加修戗台。在堤身断面不能满足抗滑或渗流稳定要求，或堤顶宽度不符合防汛抢险需要的堤段，可用填筑压实法或机械吹填法帮宽堤身或加修戗台。

(5)防渗斜墙。当堤身渗径不足且帮宽加戗受场地限制时，可在临水侧堤坡增建粘土或其他防渗材料构成的斜墙。斜墙在堤底的厚度,应不小于1/10堤前正常水头,斜墙的顶部厚度,应不小于0.5～1.0m。粘土斜墙上游应设置保护层,以防止冰冻或机械破坏。新修堤防时,粘土斜墙施工一般与土堤填筑同步进行。

(6)轻型防渗墙。轻型防渗墙是相对土截渗墙和混凝土防渗墙而言的。轻型防渗墙主要有近期发展起来的定喷墙和射水法防渗墙等。

定喷墙是定向高压喷射灌浆防渗墙的简称,适用于粘土、壤土、粉砂、细砂、中砂、黄土、回填土、砂砾等土层,一般用100型钻机造孔,孔径108mm,喷成墙厚5～30cm,砂层中定喷墙抗压强度14.7～19.6MPa,渗透系数为2.3×10^{-6}cm/s;粉质粘土层中抗压强度为19.6～24.5MPa,渗透系数为1.4×10^{-7}cm/s;在砂质粘土层中抗压强度为6.58～7.84MPa,渗透系数为2.1×10^{-6}cm/s。这些指标说明,定喷墙能满足堤防的抗渗要求。

射水法建造防渗墙,适用于粘土、亚粘土、淤泥、砂土及中粗砂,是根据射流原理和水下混凝土直管法浇筑工艺研制而成的,利用水泵和成型品中射水装置,形成高速射流以破坏土体结构,造成有规律的槽孔,造孔时用泥浆固壁,然后,采用常规的水下混凝土直管法浇筑混凝土槽板,连接成混凝土连续防渗墙。孔深一般6～13m,墙厚0.2m,墙体渗透系数为1×10^{-6}cm/s。

(7)抽水洇堤。抽水洇堤最适宜处理堤身内存在虚土的隐患。虚土是由于施工管理不善造成的,如铺土过厚,碾压不实,两工段接头处有虚土带,运土路口回填未压实等。抽水洇堤是在需要加固的堤顶上开挖一蓄水槽,槽底密布锥孔,然后引水入蓄水槽,水由锥孔渗入堤身内部,使堤内土体饱和,发生蛰陷,堤表也大面积沉陷并蛰裂,按设计标准然后回填堤顶蓄水槽及堤顶、堤坡沉陷部位。

蓄水槽是抽水洇堤工程的主要组成部分,其断面形状、大小都对抽水洇堤效果产生影响,通常采用的蓄水槽长 15～30m,宽 2～3m,边坡 1∶0.5～1∶0.8,深 0.5～1.0m。具体尺寸需根据堤身隐患情况、需水量、堤顶宽度、引水能力等因素选定。

为了扩大洇水深度和范围,寻找出隐患部位,应在槽内密布锥孔,锥孔的排间距为 0.3～0.5m,宽槽可大一些,窄槽可少一些。排数由槽的宽度确定,原则上应打到头,打到边。锥孔深度需在拟处理的隐患部位以下,一般为 6～8m,堤低时,以到基础为度,为扩大洇水范围,在槽的两侧应各向外倾斜 15°。

2.4.7 说明锥探灌浆造孔的孔位布置和孔深。

锥探灌浆造孔的排距和间距取决于堤段的重要性、加固的性质、隐患性质、灌浆压力等因素。普遍加固的堤防排距和间距可适当大一些,重点隐患部位,孔的排距、间距小一些,一般都采用密锥灌浆的形式,其排距为 1.5～2.0m,每排孔距为 1.0～1.5m,相邻两排锥孔呈梅花形排列,孔距小于排距是易于发现危害性大的横堤方向的隐患。锥孔深度按实际需要确定。初次灌浆或堤防普遍加固时,锥孔宜打入堤基以下 0.5～1.0m。旧堤已经加固,仅为处理新加培部分中的隐患时,锥孔可打入旧堤以下 0.5m。

2.4.8 简述锥探灌浆时泥浆的主要指标及计算方法。

泥浆的主要指标是泥浆浓度和颗粒粒径。泥浆浓度大,充填缝穴快,干后收缩小,但流动性差,细小缝隙不易充填。土料颗粒细,悬浮性好,流动性大,便于施工和充灌细小缝隙,但析水性差,透水性弱,收缩性强。土料颗粒粗,析水性好,透水性强,收缩性小,悬浮性差,易于沉淀,流动性差,细小缝隙不易灌注。一般隐患用收缩性小、析水慢、透水性弱、悬浮性好的泥浆。宽缝大洞隐患用浓度大、收缩小的泥浆,窄缝小洞隐患用浓度小、流动性大的泥浆。

当泥浆比重已定时,每 $1m^3$ 的泥浆中所需干土的重量用下式计算：

$$W_s = \frac{G_s(G_t - 1)}{G_s - 1}$$

式中　W_s——每 $1m^3$ 泥浆所含干土的重量；

G_s——土粒的比重,一般用 2.7；

G_t——泥浆的比重。

当 $G_s = 2.7$ 时，$W_s = 1.588(G_t - 1)$。

每 $1m^3$ 泥浆所需水的重量按下式计算：

$$W_w = 1 - \frac{W}{G_s}$$

式中　W_w——每 $1m^3$ 泥浆所需水的重量,t。

2.4.9　**如何掌握灌浆压力?**

灌浆压力对灌浆质量影响很大,压力小了灌不密实,压力过大使堤顶遭受破坏。应根据堤的土质、密实度、锥孔排间距等,尽量选择大一些的压力,堤防灌浆压力一般控制在 0.1MPa 以内。

2.4.10　**灌浆工作中应注意哪些事项?**

(1)灌浆中应注意:灌浆过程中要经常观察压力表,发现压力异常要检查原因。压力显著增大,常是孔眼已灌满,需要换孔,或者管道被堵塞,需要疏通。压力显著降低,可能是堤内隐患较大,进浆量多,也可能是堤根、堤坡有跑浆现象。

(2)灌浆应持续进行。特别在收工以前要检查各管进浆情况,对进浆量大的锥孔要适当加压,集中压灌,争取在收工前灌满,必要时应延长时间,因为锥孔进浆顺利时停灌,常因泥浆析水固结,进浆管道变小甚至堵塞,再灌时即不进浆。

(3)灌浆中要注意发现隐患,进浆量大的锥孔要登记插标,以便复灌。

(4)灌浆结束时,应将所有管道用清水冲洗干净,防止堵塞,冬季施工时管道内不保存水,防止冻结。

(5)一段堤防灌浆结束后,应将所有孔口用粘土封死填牢。

2.4.11 灌浆中易出现哪些问题?如何处理?

灌浆中经常出现的问题有串孔、喷浆、冒浆、鼓顶等。其处理方法为:

(1)一孔灌浆,相邻或稍远的孔同时出浆称为串孔。其原因是锥孔过密,压力过大,隐患串通,处理的方法是降低灌浆压力,插塞木塞封口,提前灌串浆的锥孔。

(2)喷浆。孔眼在灌实拔管后,发生泥浆由孔内向外喷射,其原因是施压前没有排完空气。预防的方法是插管时注意排气。灌浆以后要用自流灌法补灌。

(3)灌浆过程中泥浆从堤坡、堤脚的裂缝中冒出的现象称为跑浆,这是由于裂缝或孔洞串通相连,或延伸稍远造成的。处理的方法是降低灌浆压力,增加泥浆浓度,如仍不见效,可停隔数天重新打眼复灌。

(4)鼓顶。在灌浆过程中,发生部分堤顶被掀起浮动的现象称为鼓顶,其原因是旧堤加高或用粘土盖顶时,打毛不好,使新旧土结合不牢。灌浆时从接触面串流,当灌浆压力过大时,便将堤顶掀起。处理的方法是:在灌浆将结束时,由于增压而产生鼓顶可以停止灌浆,不进行处理。在灌浆开始时如出现鼓顶,可在锥眼处挖坑,将插管插入老堤顶以下,并封孔灌浆。这样可不出现鼓顶。

2.4.12 何谓放淤固堤?

在多沙河流利用水流含沙量大的特点,将浑水或人工拌制的泥浆引至沿堤洼地或人工围堤内,降低流速,沉沙落淤,加固堤防的工程措施。

2.4.13 放淤固堤有哪几种形式?

放淤固堤分为扬水站、挖泥船、吸泥船、小泥浆泵放淤及自流放淤几种形式。扬水站是将含有一定数量泥沙的天然河水通过涵闸或虹吸工程引至背河,然后用机泵扬高送至淤区,简称站淤,站淤的颗粒较细,土质较好,成本较高,需在汛期含沙量大的时候进行。挖泥船是挖取河床泥沙通过管道送至背河淤区。吸泥船是吸取河床泥沙通过管道送至背河淤区。小泥浆泵是用泵在滩地冲搅泥沙,通过管道送至背河淤区。

2.4.14 自流放淤的优点是什么?自流放淤应注意哪些事项?

自流放淤投资省,效益大,在多沙河流具有明显的优越性。自流放淤主要在汛期进行,汛期水位高,含沙量大,淤积效果好,但汛期高水位时间短,必须做好充分准备才能取得预期的效果。准备工作主要有:①搞好围堤的加固和防守,围堤决口不仅淹没农田,在堵口时要停止引水,中止放淤,减少放淤时间,因此放淤时应组织专人,对围堤昼夜巡查,出现险情及时抢护。②疏通淤区障碍物。淤区一般狭长,为了保证泥沙送得远,淤得匀,应将淤区内格堤、路基、废渠堤等障碍物疏通挖顺,防止上段过早淤高,堵塞通道。③出水口应修好控制工程,出水口的泄水能力应与进水能力相适应。④密切注意水情变化,掌握放淤有利时机,汛期大河流量变化较大,洪峰持续时间不长,应密切注意水情变化,根据洪水预报,抓住水位高、含沙量大的有利时机,及时放水。⑤解决好淤背和排涝的矛盾,解决好排水出路是保证淤背顺利进行的关键之一。⑥解决好放淤与生产的矛盾。淤区放水,影响种植,应及早确定淤区的范围和放淤的时间,通知群众种植高秆作物,争取放淤不绝产。

2.4.15 简易吸泥船有哪些主要机械设备?

简易吸泥船为黄河河务部门自己制造,主要设备有:

(1)抽排泥浆系统。包括主机、主泵、管道三部分。其作用是主机带动主泵,把泥浆通过管道送至淤区。主机一般为6160A型柴油机,额定功率99.2kW(135马力),额定转速每分钟750转。主泵主要为10PNK-20型泥浆泵,设计扬程19.9~24.2m,流量每小时500~900m^3,转速每分钟730转,配套功率95kW,管道直径300mm,分为钢管、胶管、水泥管三种。

(2)造浆系统。主要设备有副机、副泵、高压水枪三部分。其主要作用是副机带动副泵,通过高压水枪射出的高速水流冲搅河床泥沙,形成高浓度的泥浆,供主泵抽吸。副机多为功率17.6kW(24马力)的295型柴油机,副泵多为3857型水泵,设计扬程45~62m,流量每小时30~70m^3,转速每分钟2 900转,配套功率17kW,高压水枪喷嘴口径10~14mm。

(3)附属设备。主要有主泵启动、吸头开降、船只定位、照明等设备。

2.4.16 提高简易吸泥船产量的基本途径是什么?

影响吸泥船生产效率的主要因素是泥浆流量和含沙量,因此提高吸泥船的出流量和泥浆浓度,是提高吸泥船生产效率的主要途径。泥浆流量是由泵的性能和管道的性能来决定的。水泵性能主要是指在一定的转速下,流量分别与扬程、效率、轴功率及允许吸上真空度之间的关系。转速降低,流量亦减小,相应地扬程、允许吸上真空度等均降低。在含沙量相同的情况下,流量降低,出沙就少,吸泥船的效率也就低,因此应尽量使水泵在额定转速下运转,防止开慢车。管路的性能是指管路流量与水头损失之间的关系。管路水头损失与流量、管路长度、弯曲数量和角度、管的直径和管材有关。提高含沙量的措施很多,根据各地施工经验,首先要选好船位。“小水到嫩滩,大水到溜边”“要想产量高,大溜边上找”;其次是改善水枪;第三是及时移动船位;第四是及时清理水笼头;第五是加强流量和含沙量的观测。

2.4.17 **试比较修筑前戗和后戗工程有哪些不同的优缺点?**

在土料相同情况下,修筑后戗比前戗土方量小得多,一般情况下优先考虑修筑后戗。修筑前戗能够加大堤防设计水位以下的堤身断面,减轻洪水对存在隐患堤身的危害,增强堤防的抗洪能力,临河取土,运距较近,塘坑易于落淤复耕,所以在堤身质量普遍差、背水侧地面积水、村庄稠密、取土施工困难时,常修前戗加固堤防。

2.4.18 **概述土工织物在堤防工程中的应用。**

合成纤维织物在工程中应用始于50年代末期,1958年美国采用聚丙烯纤维编织物代替常规粒状反滤层材料,1958年日本采用维尼织造物代管树枝做沉排。60年代后期,针刺和热粘非织造型织物的出现推动了土工织物的广泛应用。

我国应用土工织物的时间虽然较晚,但由于科研、设计和工程部门对这项新技术接受较快,工程试验中显示出来的效果明显,因此土工织物的研究和应用在我国发展很快,应用范围从80年代初主要用于堤坝护坡滤层,扩大到河道和海堤护岸,涵闸防冲,土石坝防渗、排水、隔离加固,防汛抢险,水土保持和冻害防治等各个领域。

土工织物在工程应用中的优点主要表现为:①具有较高的抗拉强度、延伸性和整体性。可抵抗外力的作用,适应不同的地形条件。②具有良好的水力特性。土工织物具有细小的孔隙,孔隙率可达90%以上,透水性和保土能力强,特别适宜于用作各类工程的排水和反滤;浸渍和喷涂防水材料的土工织物和其他土工膜则极不透水,可用于各类工程的防渗。③稳定性好。④可生产性强。可由工厂生产不同规格和性能要求的产品,产量高,质量易于保证。⑤施工简便,迅速,易于保证工程质量。⑥重量轻、运输方便。⑦工程造价低。一般可节省工程费用10%~30%。

土工织物应用于水利工程的部位和作用种类很多,从用途分可归纳为以下几种:

(1)反滤、排水。土工合成材料可以代替传统材料建造反滤层和排水体。堤背排水体、堤坡反滤层、铺盖下排水排气层等均可应用土工合成材料。

(2)防渗。用于防渗的土工合成材料主要有土工膜及复合土工膜。堤、斜墙、堤的水平铺盖、堤基垂直防渗等均可应用土工膜防渗。

(3)护岸和防冲。防护用土工合成材料主要有无纺土工织物、织造土工织物、土工模袋、土工膜、土工格室、三维植被网等。将上述材料制成符合一定规格的制品,用作临时性工程或水上、水下部位的永久性防护,如土袋、土枕、石笼、简易模袋、软体排、土工模袋、土工格室等。应用土工合成材料作为护岸和防护的部位有:江河湖岸护坡、护底工程和水下防护,堤防临水侧及背水侧水上部分,岸坡防冲植被等。

(4)土体加筋与加固。加筋是在土体中按一定方向铺设一定的高拉伸模量筋材,增加土的抗剪强度、抗拉强度和整体性的技术。主要的加筋材料有土工织物、土工格栅和土工带等。加筋用土工织物一般为机织土工织物。加筋技术主要应用领域有:软土地基加固,稳定的地基上兴建陡坡和建造挡土结构物。加筋技术是一项应用较广的技术,我国已在多项工程中应用。

第五节　堤防抢险与堵口

2.5.1　堤防险情有哪几种?

堤防的主要险情有漫溢、风浪、陷坑、坍塌、裂缝、渗水、滑坡、管涌、漏洞。

2.5.2　漫溢险情的抢护原则与主要方法是什么?

当洪水位有可能超过堤顶时,为防止漫决,应迅速进行加高抢护。

造成堤防漫溢的原因有:①上游发生超标准洪水,洪水位超过堤防的实际高度;②河道内存在有阻水建筑物,缩小了河道的泄洪能力,使水位壅高而超过堤顶;③河道严重淤积,过水断面减小,抬高了水位;④风浪、地震、潮汐等壅高了水位;⑤堤防施工碾压不实和基础较弱造成大的沉陷,致使堤防高度不足。

堤防漫溢抢护的原则是当洪水位有可能超过某一堤段的堤顶时,为了防止洪水漫溢,应在堤顶抢筑子埝,力争在洪水到来之前完成。

抢护的方法主要有:

(1)纯土子埝。应修在堤顶临水堤肩一侧,子埝的临水坡脚一般距堤肩 0.5~1.0m,子埝顶宽 1.0m,边坡不陡于 1:1,埝顶应超出推算最高洪水位 0.5~1.0m,修筑时沿子埝轴线先开挖一条结合槽,槽深 0.2m,底宽 0.3m,边坡 1:1。

(2)土袋子埝。土袋子埝适用于风浪较大、取土困难的堤段,一般用草袋、麻袋或土工编织袋,装土七八成满后,将袋口缝严,不要用绳扎口,以利铺砌。铺砌土袋距临水堤肩 0.5~1.0m,袋口朝背水，排砌紧密，袋缝错开，每砌一层要和下一层交错掩压，并向后退一些使土袋临水形成1:0.5、最陡不超过1:0.3的边坡。

(3)桩柳(板)子埝。根据当地条件，当土质较差、取土困难、又缺乏土袋时，可就地取材，修筑桩柳(板)子埝。具体做法是：在临水堤肩1m处先打木桩一排，桩长根据埝高而定，梢径0.06～0.1m，木桩入土深度为桩长的1/3～1/2，桩距0.5～1.0m。将柳枝或芦苇、秸料等捆成长2～3m、直径约20cm的柳把，用铅丝或麻绳绑扎于桩后，自下而上紧靠木桩逐层叠放，在放置最下一层柳把时，先在堤顶上挖深约0.1m的沟槽，把柳把放于沟内，在柳把后面散置秸料一层，厚约20cm，后面再分层铺土夯实，做成土戗。土戗顶宽1.0m，边坡不陡于1:1。

(4)柳石(淤)枕子埝。在取土特别困难而柳源丰富的地方，适于修筑柳石(淤)枕子埝。具体做法是：在堤临水一边距堤肩1m以外，根据子埝高度，确定使用柳枕的数量。如高为0.5、1.0、1.5m的子埝，分别用枕1、3、6个，按品字形堆置。第一个枕前面至堤肩留1m宽，并在其两端各打短木桩1个，以免滚动。枕后用土做戗，分层铺土夯实，戗顶宽不小于1m，边坡不陡于1:1。

2.5.3 渗水险情的抢护原则和抢护方法是什么?

在汛期或高水位情况下，背水堤坡及堤脚附近出现土壤潮湿或发软，有水渗出的现象称为“渗水”，是堤防常见的险情之一，如不及时处理，有可能发展为管涌、滑坡或漏洞等险情。堤防发生渗水的主要原因为：①水位超过堤防设计标准；②堤身断面不足，背水坡偏陡时，浸润线可能在背水坡出逸；③堤身土质多沙，透水性强，又无防渗斜墙或其他有效的控制渗流的工程设施；④筑堤时碾压不实，土中多杂质、淤土块或土块，施工接头不紧密，存在其他堤身堤基隐患等。

抢护的原则是“临水截渗，背水导渗”，即临水堤坡用粘性土修筑前戗,以减少渗入堤身水量;背水堤坡用透水性较大的砂石或柴草等导渗,把渗入堤身的水,通过反滤,有控制地只让清水流出,不让土粒流失,从而降低浸润线,保持堤身稳定。

通常用的抢护渗水的方法有如下几种:

(1)导渗沟法。此法适用于堤背出现大面积严重渗水的情况。主要方法是,在堤背开挖导渗沟,铺设反滤料,使渗水集中在沟内排出,避免带走土粒,以降低浸润线。其具体修筑方法为:①砂石导渗沟。常用的开沟形式有竖沟、Y 形沟和人字沟等。一般沟深 0.5~1.0m,宽 0.5~0.8m,顺坡方向的竖沟每隔 6~10m 开一条。施工时,先顺堤脚开挖一条纵向水沟,填好滤料,并设计有使渗水排向远离堤脚的排水道。导滤沟的底坡与堤坡相同。如开沟后排水仍不顺畅时,可于竖沟之间再增开竖沟或斜沟,以改善排水效果。导渗沟要按反滤层要求分层填放粗砂、小石子(粒径 0.5~2cm)、大石子(粒径 4~10cm),每层厚大于 15~20cm。为防止泥土掉进导渗沟内,阻塞渗水通道,可在导渗砂石料上面覆盖块石、草袋等,然后适当压土加以保护。②梢料导渗沟(又称芦柴导渗沟)。开挖方法与砂石导渗沟相同。沟内用麦糠、稻糠、麦秸、稻草(属细料),以及芦苇或秫秸、柳枝等(属粗料),按下细上粗、边细中粗原则铺放。先在沟底或两侧铺细梢料,其上铺粗梢料,每层厚大于 20~30cm,顶部如能再盖以厚度大于 20cm 的细梢料更好,然后上压块石、草袋或者上铺席片、麦秸、稻草,顶部压土加以保护。③土工织物导渗沟。开沟方法与砂石导渗沟相同。铺时土工织物紧贴沟底和沟壁,铺好后要露出一定长度,然后向沟内小心填满一般透水料。土工织物外露长度以能对折盖严透水料并适当搭接 20cm 以上为宜。土工织物尺度不足时也可采取搭接形式,搭接宽度不应小于 20cm。两侧沟壁土工织物可不外露,在透水料铺好后覆盖块石、草袋或上铺席片、麦秸或稻草,然后盖土保护,保护土层厚度不小于 50cm。在堤脚要设置排水纵沟,并应设有使渗水远排的通道。

(2)反滤层法。对于堤身透水性强,在反滤料源丰富以及堤身断面较小或堤土过于稀软不宜做导渗沟时,可采用反滤层法抢护。此法主要是在渗水堤坡上满铺反滤层,使渗水排出。其具体方法为:①砂石反滤层。砂石反滤层修做时,应先将渗水堤坡面的软泥、草皮、杂物等清除,在堤坡上挖深10～20cm。然后,均匀整齐地铺放反滤料。②梢料反滤层。按砂石反滤层法先将渗水堤坡清好后,铺一层麦糠、稻糠、麦秸、稻草等细梢料。厚度不小于10cm,再铺一层如芦苇、秫秸、柳枝等粗梢料,厚度不小于30～40cm,顶上直接压块石或草袋保护,亦可再铺一层厚不小于10cm麦秸、稻草等细梢料或者覆盖草袋、席片等,然后盖土保护。所铺各层梢料应粗枝朝上、梢朝下,从下往上铺,在枝梢接头处,也应多搭接一些。③土工织物反滤层。将渗水堤坡清好后,先满铺一层符合滤层要求的土工织物。铺时应使搭接宽度不小于20cm,然后再满铺一层透水料,厚不小于40～50cm。最后上压块石或土袋保护,或者覆盖草袋、席片后压土保护。

(3)透水后戗法。其作用是既能导出渗水,防止渗透破坏,又能加大堤身断面,达到稳定堤身的目的。适用于堤身断面单薄,堤坡渗水严重,滩地狭窄,背水堤坡较陡,或背水堤脚有潭坑、池塘的堤段,具体抢护方法为:①砂土后戗。抢筑时先将工程范围内堤坡和堤脚上的软泥、草皮、杂物清除,挖深约10cm,然后采用比堤身透水性大的砂土填筑,分层夯实,砂土后戗一般高出浸润线出逸点0.5～1.0m,顶宽2～4m,戗坡1:3～1:5,长度超出渗水堤段两端各4m。②梢土后戗。此法可在砂土缺乏或料源过远时使用。梢土后戗的外形尺寸及清基要求与砂土后戗其本相同。地基清好后,在堤脚拟修后戗处的地面上铺梢料厚约30cm。铺料时要分三层,上下层均用细梢料如麦秸、稻草等,厚度不小于5cm,中层则铺粗梢料如芦苇、秫秸、柳枝等,厚度不小于20cm。粗梢料要垂直堤身，头尾搭接，梢部向外，并伸出戗身，以利排水。在堤坡上也以同样的形式铺放梢料透水层，粗梢料也要顺堤坡头尾搭接，梢部向下，其垂直堤坡方向的宽度为1～2m，间距8～12m，与地面梢料透水层分层接好，以利于坡面渗水的排出，防止堤身土粒被带出和戗土进入梢料透水层造成堵塞。坡面梢料透水层不宜满铺，以便戗土与原堤坡土结合紧密，形成整体，增强堤坡稳定性。在铺好的地面梢料透水层上，分层填土夯实厚1.0～1.5m。土料以砂性土为好，忌用粘土。然后再铺放梢料透水层，并与坡面稍料透水层分层接好。如此层梢层土，直到计划高度。各层梢料透水层不但要平顺，而且垂直堤身方向应作成顺坡，以免滞水。

(4)临水截渗法。此法通过增加阻水层，可减少渗水量，降低浸润线，达到控制渗水险情和稳定堤身的目的。凡是临堤水深不大，风浪较小，附近有粘性土的堤段；堤背抢护困难，必须在临水进行抢护的堤段；以及堤段重要，有必要临背同时抢护的堤段，均宜采用临水截渗法进行抢护。具体做法分以下几种：①粘性土前戗截渗。堤前无溜或缓流，可散填粘性土作前戗截渗。一般顶宽3～5m，长度最少超过渗水堤段两端各5m，戗顶高出水面1.0m。由于粘土遇水后的崩解、沉积和固结作用，形成截渗体。填土时，切勿用车拉土向水中猛掀猛倒，以免沉积不实，失去截渗作用。②桩柳(土袋)前戗截渗。如堤前有溜，戗土易冲走，可采用桩柳(土袋)前戗截渗。如堤前水浅，可在临水堤脚外砌筑一道土袋防冲墙。堤前水深较大时，可作桩柳防冲墙。在临水坡脚前0.5～1.0m处，打木桩一排，桩距1m，桩长一般以入土1m、桩顶高出水面为度，在打好的木桩上，用柳枝或芦苇、秸料等梢料编成篱笆。木桩顶端用8号铅丝或麻绳与堤顶或背水堤坡上的木桩栓牢。在做好堤坡清理后，桩柳墙与堤坡之间填土筑戗体。③土工膜截渗。当缺乏粘性土时，可采用防渗土工膜加保护层作临水截渗。先清理铺设范围内的堤坡和堤脚，以免造成土工膜损坏。土工膜的宽度根据堤坡尺寸预先粘结或焊好,以满铺堤坡并伸入临水堤脚外1m以上为宜。长度不足可以搭接,但搭接长度不应小于0.5m。铺设前将土工膜卷在宽8～10m的滚筒上,置于临水堤肩。每次滚铺前把土工膜的下边折叠粘牢成卷筒,并插入直径4～5cm的钢管使其起下沉展铺作用。土工膜铺好后压一层土袋,作为土工膜的保护层,并起防浪作用。

2.5.4 渗水险情抢护时应注意的事项是什么?

(1)抢护渗水险情,应尽量避免在渗水范围内来往践踏,以免加大加深稀软范围,造成施工困难和扩大险情。

(2)如渗水堤段的堤脚附近有潭坑、池塘,在抢护渗水险情的同时,应在堤脚处填块石或土袋固基,以免因堤基变形而引起险情扩大。

(3)砂石导渗要严格按质量要求分层铺设,减少在已铺好的层面上践踏。

(4)采用梢料导渗,梢料容易腐烂,汛后须拆除,并重新采取其他加固措施。

(5)采用土工织物及土工膜等化纤材料,在运输、存放和施工过程中,应缩短受阳光暴晒的时间,完工后在其顶部覆盖保护层。

2.5.5 何谓管涌?

管涌是指在渗流作用下,土体中的细小土粒,通过大土粒间的空隙,发生移动或被水流挟带走的现象。

管涌又称为翻沙、鼓水等,一般发生在背河堤脚附近,有时在堤脚以外数百米的潭坑、水沟中出现。在地面其险情多为孔眼冒水、翻沙,在孔眼周围形成“沙环”,水沙冒出时常呈现水沸状态,故称土沸。管涌孔径大小不一,小的如蚁穴,大的有几十厘米,有的地方只出现一个或几个,有的地方可多达几十个,成为管涌群。管涌发生后,如不及时处理,带出的砂粒增多,势必将堤基淘空,导至溃决,酿成灾害。因此,必须立即抢护。

2.5.6 管涌的抢护原则和主要抢护方法有哪些?

抢护管涌应以“反滤导渗,防止渗透破坏,制止涌水带沙”为原则。对于小的仅冒清水的管涌,可以加强观察,暂不处理;对于出现浑水的管涌,不论大小,必须迅速抢护。

管涌抢护的主要方法有:

(1)反滤围井法。在管涌出口处修筑反滤围井进行反滤导渗,制止涌水带沙,防止险情扩大。具体修筑方法有以下几种:①砂石反滤围井。先将拟建围井范围内的杂物清除并挖去软泥 10~20cm,周围用土袋排叠筑成围井。围井高度以能使水不挟带泥沙从井口顺利冒出为度,并应设排水管,以防溢流冲塌井壁。围井内径为管涌出口直径的 10 倍左右,井壁与堤坡或地面接触处必须做严密。管涌洞口应先用砂石填塞,待水势缓和后,在井内做反滤导渗。分层铺筑粗砂、小石子和大石子,每层厚 20~30cm。如一次铺设未达到制止涌水带沙要求时,可拆除上层填料,再按上述层次适当加厚填筑,直至渗水变清为止。对小的管涌,也可用无底粮囤、筐篓或无底水桶、大缸等套住出水口,在其中铺填砂石滤料,也能起到反滤围井作用。②梢料反滤围井。临时抢护管涌可采用梢料反滤围井,除反滤细料可采用麦秸、稻草等厚 20~30cm,粗料可用芦苇、秫秸、柳枝等厚 30~40cm 外,其他与砂石反滤围井完全相同。但在反滤梢料填好后,顶部要用块石或土袋压牢,以免漂浮冲失。③土工织物反滤围井。土工织物反滤围井的施工方法与砂石反滤围井基本相同,但在清理地面时,应把所有带有尖、棱的石块和杂物清除干净并注意平整好。土石结构铺好后在其上面填筑 40~50cm 厚的一般透水料。

(2)减压围井法(又称养水盆法)。靠逐步壅高围井内水位减小水头差的原理，逐步降低渗压，减小渗透比降，制止渗透破坏，以稳定管涌险情。此法适用于当地缺乏反滤材料，临背水位差较小，出现管涌周围地面较坚实，渗透系数较小的情况。具体做法有以下几种：①无滤围井。在管涌周围用土袋排垒成无滤围井，随着井内水位升高而逐渐加高加固，直至制止涌水带沙、险情稳定为止，并应设置排水管排水。②无滤水桶。对个别或面积较小的管涌，可采用无底铁桶、木桶或无底大缸，紧套在出水口上面，四周用土袋围筑加固，做成无底水桶。靠桶内水位升高，逐渐减小渗水压力，制止涌水带沙，使险情趋于稳定。③背水月堤（又称背水围埝）。当背水堤脚附近出现分布范围较大的管渗群时，可在堤背修筑月堤，截蓄涌水而抬高水位。因堤随水位升高而加高加固，直到制止涌水带沙。然后，用水管将多余的涌水排出。

(3)反滤铺盖法。此法是通过修建反滤铺盖，降低涌水流速，制止泥沙流失。一般适用于管涌较多、面积较大并连成一片、涌水涌沙比较严重的地方。具体修筑方法有以下几种：①砂石反滤铺盖。在已清理好的大片有管涌群的地面上，普遍铺盖粗砂一层，厚20cm左右，其上分别再铺小石子和大石子各一层，厚度均约20cm，最后压盖片石或块石一层，予以保护。当砂土料源丰富，管涌范围较大时，可修砂土透水铺盖或戗台，延长渗径，减少渗流比降，使险情稳定。②梢料反滤铺盖。铺筑时先铺细料如麦秸、稻草等厚10～15cm，再铺粗料如芦苇、秫秸、柳枝等，厚15～20cm，然后上铺席片、草垫或苇席。这样层梢层席，视情况可只铺一层或连铺数层，然后上面压块石或土袋。③土工织物反滤铺盖。在基础清好并消杀水势后，先铺一层土工织物，再铺一般透水料厚40～50cm，最后压盖片石或块石一层。

(4)水下管涌的抢护方法。在潭坑、池塘、水沟、洼地等水下出现管涌时，可根据具体情况采用：①填塘法。在人力、时间和取土条件能够迅速完成任务时可采用此法。填塘前应对较严重的管涌先用块石、砖块等填塞,待水势消杀后,集中人力和施工机械,用砂性土或粗砂将坑塘填筑起来。②水下反滤法。如坑塘过大,砂土填塘会误时机,可采用水下反滤层法。抢护时,应先填较严重的管涌,待水势消杀后,从水上直接向管涌区域分层按要求倾倒砂石滤料,使管涌处形成反滤堆,不使土粒外流。③抬高坑塘水位法。此法作用原理同养水盆法。为了争取时间,常利用管道引水入塘或临时安装抽水机注水入塘,抬高坑塘水位,制止管涌冒沙。

2.5.7 什么叫漏洞?

在汛期或高水位情况下,堤防背水坡及堤脚附近出现横贯堤身或堤基的流水孔洞,称为漏洞。

2.5.8 产生漏洞的原因是什么?

主要由于堤身、堤基质量差,如堤身土质多沙、含杂质多、碾压不实、堤身有隐患、堤基有老口门等,在高水位时,渗水严重,在渗流集中的地方,堤内土壤被带走,出水由清到浑,孔穴由小到大,以致形成漏洞。

2.5.9 堤防漏洞有哪些抢护方法?

首先要探明洞口和洞身的位置,探明洞口有三种途径,即一看二摸三测试。看是根据漏洞进水口附近易发生漩涡的现象,进行查看找寻,还可以用麦糠、锯末、碎草、纸屑等物撒在水面上以发现洞口。摸是人直接入水摸洞口。测试有施色法、吸片法和探漏器法三种。发现漏洞的进出水口以后,其截堵的方法有以下几种:

(1)临河截堵:①塞堵法;②盖堵法;③戗堵法。

(2)堤身截堵:①锥杆拦污;②挖槽截堵。

(3)背河抢护:①反滤围井;②反滤水桶;③无滤围井;④背河月堤;⑤背河戗台。

2.5.10 漏洞的临河截堵具体有几种方法?

(1)塞堵法。当漏洞进水口较小,周围土质较硬时,可用棉衣、棉被、草包等物填塞,或使用预制的软楔、草捆堵塞。此法适用于水浅、流速较小、人可下水接近洞口的地方。洞口填塞后要用土袋压盖牢固,然后再用粘土封堵闭气,达到完全断流为止。

(2)盖堵法。此法用覆盖物盖堵洞口。待初步断流后,再抛压土袋并封土闭气。具体方法为:①铁锅盖堵。适用于洞口较小、周围土质坚硬的情况。锅压紧后抛压土袋并填筑粘土,达到封闭严密,不再漏水。②软帘盖堵。适用于洞口附近流速小、土质松软或周围有许多裂缝的情况。可选用篷布、草帘、苇箔、棉絮等重叠数层作为软帘,也可临时用柳枝、芦苇、秸料等编扎软帘。软帘的上边可用铅丝或麻绳拴系于堤顶的木桩上。下边坠以块石、土袋、钢管等重物。③网兜盖堵。遇洞口较大时,可用预制长方形网在进水口盖堵。网兜采用直径 1.0cm 麻绳,织成网眼为 20cm 见方的网,周围用直径 3.0cm 的麻绳作网框。网宽 2~3m,长为进水口以上堤坡长度的 2 倍。用时将网折起,两端系于堤顶木桩上,将网顺坡下沉成网兜状,然后在网中填柴草泥或其他料物以盖堵漏洞。待洞口覆盖完成后,抛压土袋并填筑粘性土封住洞口。

(3)戗堤法。当堤防临水坡洞口较多、范围较大时,可用填筑前戗或临水月堤方法进行抢堵。在临水截堵漏洞的同时,在背水漏洞出口应抢做滤水工程,以制止泥沙外流,防止险情扩大。

2.5.11 风浪破坏堤防的方式有哪几种?

有三种:一是抬高水位,使堤防漫顶冲刷破坏;二是增加水面以上堤身饱和范围,造成滑坡破坏;三是堤坡被风浪冲击淘刷,逐渐侵蚀堤身,最后溃堤决口。

2.5.12 举出几种抢护风浪险情的方法。

(1)挂枕防浪。是用秸柳或芦苇等软料捆成直径0.5m左右，长度10m左右的枕把，内放砖石等其他重物，推入水中，使其大部分沉没水中，以压杀浪头。如风浪较大，一个枕把不足以抵御风浪冲刷时，可连推几个枕把用绳连系，做成枕排。最前面的枕直径要大一些，重量要小一些，使其浮于水面，随波起伏，以抵御高浪。第二排、第三排枕可依次减小直径，增加重量，以消余力。挂枕防浪适用于水深不大、风浪较大的堤段。

(2)木、竹排防浪。用圆木或毛竹扎成排架，中间夹以芦柴捆，用绳或铅丝系在堤顶的木桩上，木、竹排的下面坠以块石，使排随水位变化上下浮动，此法防浪效果较好，但用竹、木较多，仅适用于有条件的重要堤段。

(3)挂柳防浪。用长1.0m的木桩，在堤坡水面以上1.0m处，按间距2～3m打桩一排，再用8号铅丝挂枝叶繁密的柳树枝头，树梢向下，顺堤坡挂于水中，不使其为风浪卷走。在风大浪急、树头不稳时，可用大块石或粘土草袋锚定。在树干与堤坡之间的空隙区可用散柳填护，以防止余波拍击堤坡。此法适用于柳料丰富、风为4～5级的情况。

(4)土袋防浪。用草袋、麻袋或蒲包装土或砂、石，顺坡垒护，其防浪作用较大，具体做法是：在草袋底部先装一些青草，然后再装粘土或两合土八成满，置于堤坡受风浪冲刷部位。袋底朝下，袋口向内收压平顺，一排排、一层层，交错排压整齐，一般出水1.0m或高于波浪上爬高度。

上述防浪方法，一般是在堤身尚未受风浪严重被坏的情况下采用。如果堤身已经因风浪冲刷受到严重破坏，其抢护可按坍塌险情处理。

2.5.13 堤防坍塌的抢护方法有哪几种?

临河坍塌险情主要有四种形式:①弧形坐塌;②条形倒塌;③风浪淘塌;④水位骤降滑塌。

在抢护工程性质上有临时性工程和永久性工程两种。临时性工程抢护法:①挂柳缓溜;②沉柳护脚;③抛袋(枕)护脚;④桩柴填复(散厢);⑤柳石填网。

2.5.14 什么叫滑坡?滑坡发生之前常出现哪些现象?

土坡丧失原有稳定性,一部分土体就相对于另一部分土体产生滑动,我们称这种现象为滑坡。土坡在发生滑动前,一般首先在坡顶产生明显的下沉,并出现裂缝。裂缝一般有许多条,但其中必有一条是主要裂缝。在坡顶出现下沉及裂缝的同时,坡脚附近的地面将有较大的侧向位移并微微隆起,坡面有时变得凸凹不平。随着坡顶裂缝的发展和坡脚侧向位移的增加,部分土体突然沿着某一滑动面急剧下滑,整个土坡面破坏,形成滑坡破坏。

2.5.15 在抢护滑坡险情时,需要特别注意哪些问题?

要特别注意两个问题:①在滑动土体上不能用加压块石的办法来阻止滑坡,也不能用打桩的方法来阻止土体滑动。②填土还坡时,不可上土过急,重量也不能过大,如坡脚泥泞,人不能上去,可铺一层柴草,先上去少数人工作。

2.5.16 堤防决口有哪几种类型?

堤防决口分为漫决、溃决、冲决以及扒决4种类型。漫决是水流漫溢堤顶造成的决口;溃决是水流穿过堤身、堤基造成的决口;冲决是水流或风浪淘刷堤根、堤坡造成的决口;扒决是由于战争的原因或其他目的,人为扒开堤防所造成的决口。

2.5.17 堵复决口前的技术准备工作主要包括哪些内容?

主要包括测量口门过水断面、流量、土质分布;选择坝轴线,拟定堵口方法;估算人工料物等。

2.5.18 口门测量包括哪些内容?

(1)测量横断面。在口门两侧断堤头之间设一轴线,作基本断面,沿断面每5～10m布置一个测点,在水深最大的深槽部位可每2m左右测1点,每点的测量内容为:水深、流速、河床土质。流速测量方法可用浮标法,施测表面流速,乘以0.7～0.8作为垂线上平均流速。

(2)测量纵断面。在基本横断面上每10～20m布置一个纵断面,一般一个口门可布置3～5个,在深槽部位必须有一纵断面。每一个纵断面上5～10m布置一测点。测量内容为水深和河床土质。

(3)测量资料整理。根据测量成果,绘出横断面图和纵断面图。

2.5.19 堵口方法一般有几种?

一般有立堵法、平堵法、平立混合堵法3种。

2.5.20 何谓立堵法?立堵有哪几种形式?

从决口口门两侧或一侧用捆厢方法向中间进占,逐渐缩小口门,至一定位置时留出龙门口,最后集中力量抢堵合龙。立堵有单坝、双坝和二坝等形式。溜势缓和的口门用单坝进占堵合,即口门两侧各用一道坝直接进占堵合,坝顶宽为预估冲刷后水深的1.2～2.0倍。每进堵8m左右为一占(大型堵口一般每17m为一占)。流势湍急的口门用双坝堵合,即正坝和边坝同时进占,边坝用以维持正坝，防止下游坝坡被冲刷。边坝顶宽为预估冲刷后水深的1.0～1.5倍，距正坝5～10m，正坝与边坝之间填以粘性土，称为土柜。边坝后需修后戗以维持边坝的稳定。如果口门堵合时，上下游水位差很大，水深流急，可在正坝之后200～500m处再筑一道坝进堵，此坝称为二坝，二坝的作用是壅高口门背后的水位，使正坝口门上下游的水位差减小，以利于进占和合龙。

2.5.21 立堵法的优缺点是什么？

立堵法的优点是：①埽工进占用的材料主要是秸、柳、土和桩绳等，便于就地取材，石料耗量较少。施工用的工具多为铁木制造，结构简单，不需要大型机械设备。②埽工进占体积大，堵复施工进度快，能适用于各种河床地形和土质，特别对于软基河底适应性更强。③两岸阵地牢固，口门缩窄后，所留龙门口堵合工程量小，便于集中抢堵。④施工多在坝上操作，施工方便。

立堵法的缺点是：①口门缩窄后，上下游水位差增大，相应流速增大，口门河床土质不好时，极易冲深，两侧进占易蛰裂塌陷，进占合龙困难较大。②埽工操作技术复杂，不易掌握。

2.5.22 何谓平堵法？其主要优缺点是什么？

平堵法是沿坝轴线同时抛投截流物，如柳石枕(垂直流向)、散石、铅丝笼、竹笼、土袋等，层层加高，最后抛出水面，再填土闭气、复堤，以达堵口之目的。大型堵口可架便桥由桥上抛投截流物。平堵法的优点是：①口门底部逐层加高，过流在整个坝轴线上都均匀减小，冲刷力弱，工程的稳定性强。②不需合龙，减少因合龙不成前功尽弃的危险。③施工方法简单，易为群众所掌握。平堵法的缺点是：①用料多，投资大，为了满足水下坝体稳定和过坝水流对基脚的冲刷等要求，坝身断面一般较大，用料较多。②坝体透水性大，闭气比较困难。③操作不方便，进度慢，在船上抛投、定位、捆绑都不方便,影响进度,架便桥安全要求高,工程量大。

2.5.23 何谓平立混合堵口法?

就是平堵法和立堵法相互结合使用的堵口方法。有的口门在水浅溜缓的地方用平堵法,在水深流急的地方用立堵法,也有的口门,在水浅溜缓的地方用立堵法,在水深流急的地方用平堵法。主要根据口门过水情况、土质分布、水情变化、料物供应、施工机具、施工人员的技术水平和特长等决定。

2.5.24 如何选择堵口坝轴线?

堵口坝轴线宜选在下述条件:①土质好、厚度大、坚硬耐冲;②滩高水浅,水流平稳;③临河水流出路通畅,不因堵复壅水增加水头差。坝轴线按与原坝线位置关系有三种情况:一是沿原堤线堵复,一般适用于口门小、土质好的决口。二是在临河侧选坝轴线,堵复后成为临河月堤,适用于口门冲深较大、临河滩高水浅的口门。三是在背河侧选坝轴线,堵复后成为背河月堤,适用于口门冲深较大、临河不易前进的地方。

2.5.25 单坝进占堵口的施工步骤是什么?

(1)裹头。裹头是在决口的断堤头上修埽进行裹护,防止断堤被水流继续冲刷后退,口门扩大。

(2)进占。进占就是用搂厢的方法一节一节由堤头向口门内进修,一节称为一占,较大口门一占长度一般为 8~17m,小口门也可 5m。堵口进占可用秸料搂厢,也可用柳石搂厢。搂厢施工在口门较小、水深较浅、流速不大时,用浮沉搂厢或支架搂厢,如口门较大,宽度在 50m 以上,水深在 3m 以上,流速在 1m/s 以上时,最好用捆厢船搂厢。

(3)合龙。

(4)闭气。

(5)善后工作。

2.5.26 何谓合龙、闭气？合龙、闭气各有哪几种方法？

合龙必须做好充分准备,昼夜赶进,一气呵成,如稍有疏忽,就有前功尽弃的危险。合龙的方法有两种,一是合龙埽,二是抛柳石枕。

(1)合龙埽是先在上、下坝头打桩布缆,并在缆上结网作埽。待埽作成后,在两坝头松绳沉埽入水,再继续加料上土,直至口门闭塞为止。合龙时水大溜急,下埽时往往由于松绳不匀会发生卡埽和扭埽现象,如压不到底,埽下流速加大,冲刷河底,易发生意外,危险很大。一般堵口经验不足的人员应不用此法。

(2)柳石枕,当口门缩窄不易进占时,即抛填长度等于占宽的柳石枕,至出水再用薄料大土加厢压枕,速度快、安全度高。在大小口门堵复中都能运用。缺点是漏水量大,闭气需要加强。

闭气必须抓紧进行,若不能及时闭气,有可能前功尽弃。大型口门堵复有三种闭气方法:一是关门埽闭气,即在合龙口门上游面修搂厢闭气。二是浇土闭气,即在正副坝之间填土闭气。三是养水盆闭气,即在口门背河修一月堤,拦水壅高平衡上游水位,以便断流闭气。一般采用在口门前抛柳石枕或土袋等,然后浇土闭气。

2.5.27 简述钢木土石组合坝堵口过程。

钢木土石组合坝堵口技术,是 51002 部队创造的,已在 1998 年长江九江堵口中应用。

钢木土石组合坝堵口主要内容:

(1)准备阶段:①人员准备。为保障抢险有序进行,在作业之前,要对参加堵口的人员进行合理编组。框架组:由 6 名作业手组成。木桩组:由 16 名作业手组成。连接固定组:由 6 名作业手组成。填塞砌墙组:负责向钢木框架内填塞石子袋和抛投上、下游护坡。防渗组:由若干作业手组成。②器材准备:钢管(直径5cm、长4~6m),木桩(直径0.2~0.3m,长4~10m)、石子、土、编织袋、铁锤、筑头、斧头、塑料布、土工袋及铅丝等物料。

(2)技术实施的步骤:①护固坝头。首先用木桩、8号铅丝、柳枝和石子修筑裹头,以防止决口进一步扩大,为封堵决口建立“桥头堡”。②框架进占。设置钢框架;植入木桩;连接固定;填塞、护坡。③导流合龙。设置导流排;加密支撑杆件;加大木桩间距;理顺龙口水流;加快填塞速度。④防渗固堤。对新筑堤进行上、下游护坡后,在其上游护坡上铺两层土工布,中间夹一层塑料布,作为防渗层,其两端应顺延到决口外原坝体8~10m范围。压坡脚时,决口处厚度应不小于4m,其他处厚度不小于2m。

(3)技术运用中应注意的事项:①要严密组织,科学分工。②重视维护,适时加固。

第六节　堤防工程施工质量评定与验收

2.6.1　堤防工程项目一般划分为几级?堤防工程施工质量分为几级?

堤防工程施工时可分为单位工程、分部工程和单元工程。堤防工程施工质量可分为优良、合格与不合格三级。

2.6.2　如何划分单位工程?堤防单位工程可划分为哪几个部分?

单位工程应是具有独立发挥作用或独立施工条件的建筑工

程，应根据设计及施工部署和便于质量管理等原则进行划分。

堤防单位工程划分为堤身单位工程、堤岸防护单位工程、交叉连接单位工程和管理设施单位工程。

2.6.3 碾压式均质土堤堤身单位工程划分为哪几个分部工程？

划分为堤基处理分部工程、堤基清理分部工程、堤身填筑分部工程。

2.6.4 如何划分单元工程？堤身工程如何划分单元工程？

单元工程根据工程施工方法、部署、进展，以及日常质量检测控制和考核进行划分。对于分层碾压筑堤，应逐层划分单元工程，原则上筑新堤按堤轴线长度200～500m，老堤加高培厚按堤段填筑量1 000～2 000m^3划分一个单元工程，堤基清理与堤身填筑的单元工程划分应协调一致。对于砌石堤和混凝土防洪墙工程，应按施工段或构造缝划分单元工程，单元工程长度可按50～100m控制。

2.6.5 堤防单元工程质量评定主要包括哪些部分？

包括：堤基清理工程、堤身填筑工程、防渗体填筑工程、砌石护坡工程、堤脚防护工程。

2.6.6 如何进行堤基清理？清理的要求是什么？

(1)堤基清理的范围应包括堤身、戗台、铺盖、压载的基面，其边界应在设计基面边线外0.3～0.5m。

(2)堤基表层的淤泥、腐殖土、泥炭等不合格土及草皮、树根、建筑垃圾等杂物必须清除。

(3)堤基内的水井、坟坑、树坑、其他池塘及洞穴，应按堤身填筑要求进行回填。

(4)堤基清理后,应在第一次铺填前进行平整,除了海滩或地势低洼、地下水埋深较浅的软土堤基外,还应进行压实,压实后的土体干密度应与堤身设计干密度的要求一致。

堤基清理的要求是:①基面清理。堤基表层不合格土及杂物应全部清除。②一般堤基处理。堤基上的坑塘、洞穴按要求处理。③堤基平整压实。表面无显著岗洼,无松土,无弹簧土。

2.6.7 土料碾压筑堤应遵守哪些规定?

(1)上堤土料的土质及含水量应符合设计和施工试验的要求。

(2)填筑作业应按水平分层铺填,不得顺坡填筑。分段作业的最小长度,机械运土不应小于100m,人工运土不应小于50m。应分层统一铺土,统一碾压,严禁出现界沟。

(3)堤身土体必须分层填筑。铺料厚度应根据机械类型压实功能的不同,达到15~50cm,即轻型15~25cm,中型25~30cm,重型30~50cm。土块直径的限制应为,轻型机5~8cm,中型机10cm,重型机15cm。

(4)碾压机械行走方向应平行于堤轴线,相邻作业面的碾迹必须搭接,搭接碾压宽度,平行堤轴线方向不应小于0.5m,垂直堤轴线方向不应小于1.5m,机械碾压不到的部位应采用人工或机械夯实,夯击应连环套打,双向套压,夯迹搭压宽度不应小于1/3夯径。

(5)土料的压实应根据试验成果和由《堤防工程设计规范》的设计压实度要求确定的设计干密度值进行控制。

2.6.8 土料碾压筑堤单元工程质量检测的标准是什么?

(1)铺料厚度。允许偏差0~50mm。

(2)铺填边线。允许偏差:人工施工-50~+100mm,机械施工-50~+300mm。

(3)压实指标符合设计要求。

2.6.9 土料碾压筑堤单元工程压实质量合格标准是什么?

新填筑堤:少粘性土压实干密度合格率下限为85%~90%,粘性土80%~85%。

老堤加高培厚:少粘性土压实干密度合格率下限为80%~85%,粘性土为80%~85%。

对于不合格者还应满足:①不合格样的干密度值不得低于设计干密度值的96%;②不合格样不得集中在局部范围内。

2.6.10 干砌石护坡质量检查时按什么标准进行?

(1)石料。质地坚硬,不得使用风化石料,单块重量不小于25kg,最小边长不小于200mm。

(2)腹石砌筑。排紧填严,无淤泥杂质。

(3)面石砌筑。禁止使用小块石,不得出现通天缝、对缝、浮石、空洞。

(4)缝宽。不出现宽度在15mm以上、长度在0.2m以上的连续缝。

(5)误差。①砌石厚度。允许偏差为设计厚度的±10%。②坡面平整度。用2m靠尺测量,凹凸不超过50mm。

2.6.11 堤防工程质量评定工作的步骤是什么?

(1)建立质量评定组织。

(2)单元工程质量评定。

(3)分部工程质量评定。

(4)单位工程质量评定。

(5)工程项目质量评定。

2.6.12 堤防工程验收分哪几个阶段?

堤防工程验收分为分部工程验收、阶段验收、单位工程验收和竣工验收四个阶段。

2.6.13 堤防工程完工后施工单位应提交哪些技术文件?

(1)竣工图纸。

(2)施工中有关设计变更的说明和记录。

(3)施工单位的试验、测量原始资料和成果,以及主要筑堤材料的质量保证书。

(4)质量事故记录、分析资料及处理结果。

(5)单元工程质量评定表,隐蔽工程检查记录、照片或摄像资料。

(6)施工单位的工程质量自检报告。

(7)施工总结报告和清单。

(8)施工大事记。

2.6.14 如何进行堤防工程阶段验收?

当堤防工程建设到一定阶段,根据需要有必要进行验收时,应进行堤防工程阶段验收。阶段验收一般是对已建成需投入运行的部分工程的竣工性验收。

堤防工程阶段验收由竣工验收主持单位或其委托单位主持,由项目法人、设计、施工、监理、质量监督、运行管理、有关上级主管部门、地方政府及其他有关部门等单位组成的堤防工程阶段验收委员会负责。

2.6.15 何时进行堤防单位工程验收?

堤防单位工程完成后需交工或投入运行的,应进行单位工程验收。

2.6.16 如何进行堤防分部工程验收？对验收资料有何要求？

堤防分部工程完成后应及时进行验收。分部工程验收是技术性的交工验收。分部工程验收组由项目法人或其委托单位（如监理单位）主持，设计、施工、运行管理等单位有关技术人员参加，负责堤防分部工程验收。通过查阅分部工程验收资料、检查工程施工情况，根据国家及行业有关技术标准、设计文件等鉴定已完成的分部工程是否达到设计标准和要求，评定分部工程质量，对遗留问题提出处理意见。

分部工程验收的图纸、资料和成果。应按竣工验收的标准制备。

2.6.17 如何进行堤防工程竣工验收？

（1）堤防工程全部完成后，投入运用前必须进行竣工验收。一般应在全部工程完建后3个月内进行竣工验收，确有困难时，经竣工验收主持单位同意可适当延长。

（2）工程竣工验收前，项目法人应委托省级以上水行政主管部门认定的工程质量检测单位对工程质量进行一次抽检。抽检的主要内容为干密度和外观尺寸，并满足以下要求：①每2 000m堤长至少抽检一个断面；②每个断面至少抽检2层，每层不少于3点，且不得在堤防顶层取样；③每个单位工程抽检样本点总数不得少于20个。

抽检不合格者不得进行验收。

（3）堤防工程竣工验收应具备以下条件：①工程已按批准的设计规定的内容全部建成，并能正常运用，或有少量尾工但不影响工程初期运用。验收时应对尾工处理进行审核落实，并作出安排。

②历次验收所发现的问题已基本处理完毕。③归档资料符合工程档案资料管理的有关规定。④工程建设征地及移民安置等问题已基本处理完毕,工程主要建筑物安全保护范围内的迁建和工程管理征地已经完成。⑤工程竣工决算已完成并通过竣工审计。

(4)验收委员会根据需要,可对工程质量再次进行抽检。

第七节　堤防工程管理

2.7.1　堤防工程管理的主要任务是什么?

确保工程安全完整,充分发挥堤防工程抗洪、抗潮、抗风浪的作用和效益。开展绿化等综合经营,不断提高管理水平。实现"安全、效益、综合经营"三项基本任务。安全是指在设计水位以下运用时,工程不发生破坏,或少发生破坏,做到不决口。效益是指工程的高度、坡度和强度能满足设计的挡水要求,使保护范围内免受洪水、潮水的危害。综合经营是指充分利用堤防工程的水土资源和人力机电设备等条件,开展以绿化为主的各项经营活动。

2.7.2　管理工作包括哪几个方面?

管理工作包括:①管理组织;②宣传教育;③综合经营,并落实护堤员的报酬;④建立健全岗位责任制;⑤堤防检查、养护。

2.7.3　护堤员的主要任务和职责是什么?

护堤员的主要任务和职责是:①坚守工作岗位,遵守劳动纪律,做到吃住在堤;②保护堤防及其他水利设施的完好,进行日常维修养护;③经常检查堤防隐患,消灭各种危害堤身的动物害虫;④积极植树种草,绿化堤防,适时浇水治虫,整枝松土,消除杂草,做到树草齐全旺盛，条件允许时要培育林木条苗；⑤护好防汛料物、通信线路、测量标志、树草及辅道、房台、公里桩等工程设施，劝阻并制止违犯工程管理规定的行为，同破坏工程、盗窃树株料物的犯罪分子进行斗争；⑥了解工程管理办法的主要内容，经常向群众宣传爱堤护堤公约或守则，带领群众搞好护堤工作。

2.7.4 堤防工程检查分为几种？

堤防工程检查分为经常检查、定期检查和特别检查三种。

(1)经常检查。由堤防管理单位指定专人，由护堤专干及护堤员参加，共同进行检查，或者各护堤单位联合进行检查。检查的内容有堤顶是否平整，堤坡是否平顺，堤身有无水沟、浪窝、滑坡、裂缝、塌坑、洞穴、违章建筑物等，树木是否齐全。

(2)定期检查。主要指汛前、汛后、大潮前后检查。汛后检查的内容有：堤防汛期被水冲损情况，其原因和处理结果如何，有哪些水沟浪窝，回填工作量有多大，树草损坏情况，洪水水印标记保护及施测情况等。

(3)特别检查。当发生特大洪水、暴雨台风、地震及重大事故时，应及时组织力量进行检查，必要时报请上级共同检查。

2.7.5 堤防管理的要求主要有哪几点？

主要有：①保护地的范围不受侵占；②严禁损害树草；③严禁损坏堤防的活动；④严禁破堤开口；⑤严格限制堤顶交通；⑥禁止毁损堤防设施；⑦严格控制修建穿堤建筑物。

2.7.6 堤防工程管理范围是什么？

堤防工程的管理范围，一般应包括以下工程和设施的建筑场地和管理用地：

(1)堤身，堤临、背侧戗堤，防渗导渗工程及堤临、背侧护堤地。

(2)穿堤、跨堤交叉建筑物,包括各类水闸、船闸、桥涵、泵站、鱼道、伐道、道口、码头等。

(3)附属工程设施,包括观测、交通、通信设施、测量控制标点、护堤哨所、界碑、里程碑及其他维护管理设施。

(4)护岸控导工程,包括各类立式和坡式护岸建筑物,如丁坝、顺坝、坝垛、石矶等。

(5)综合开发经营生产基地。

(6)管理单位生产、生活区建筑,包括办公用房屋、设备材料仓库、维修生产车间、砂石料堆场、职工住宅及其他生产生活福利设施。

2.7.7 如何确定堤防护堤地?

护堤地范围,应根据工程级别并结合当地的自然条件、历史习惯和土地资源开发利用等情况进行综合分析确定。

(1)护堤地的顺堤向布置应与堤防走向一致。

(2)护堤地横向宽度,应从堤防临、背坡脚线开始起算。设有戗堤或防渗铺盖的堤段,应从戗堤或防渗铺盖坡脚线起算。

(3)堤临、背侧护堤地宽度,可参照表2-8的数值确定。

表2-8 护堤地宽度

工程级别	1	2、3	4、5
护堤地宽度(m)	30～100	20～60	5～30

(4)堤防工程首尾端护堤地纵向延伸长度,应根据地形特点适当延伸,一般可参照相应护堤地的横向宽度确定。

(5)特别重要的堤防工程或险点险段,根据工程安全和管理运用需要,可适当扩大护堤地范围。

(6)海堤工程的护堤地范围,一般临海一侧的护堤地宽度为100～200m;背海一侧的护堤地宽度为20～50m。

背海侧顺堤向挖有海堤河的，护堤地宽度应以海堤河为界。

(7)城市堤防工程的护堤地宽度，在保证工程安全和管理运用方便的前提下，可根据城区土地利用情况，对表2-8中的数值进行适当调整。

2.7.8 如何确定堤防工程保护范围？

在堤防工程背水侧紧邻护堤地边界线以外，应划定一定的区域，作为工程保护范围。

堤防工程保护范围的横向宽度可参照表2-9的数值确定。

表2-9 堤防工程保护范围

工程级别	1	2、3	4、5
保护范围的宽度(m)	200～300	100～200	50～100

堤防工程临水侧的保护范围，应按照国家颁布的《河道管理条例》有关规定执行。

2.7.9 堤防工程管理包括哪些方面？

堤防工程管理包括：①工程管理范围和保护范围的管理；②堤防养护；③工程观测；④交通设施；⑤通信设施；⑥生物工程和其他维护管理设施；⑦防汛抢险设施；⑧害堤动物防治；⑨堤防检查。

2.7.10 堤顶养护应达到什么标准？

堤顶要求平坦光滑，无起伏坑洼，边口整齐，排水畅顺，树草旺盛，土牛、石料等防汛料物堆放整齐，铭牌界桩规格一致，醒目，达到规范化、标准化。

2.7.11 堤坡养护的要求和注意事项是什么？

堤坡要求坦平坡顺，没有水沟浪窝、陡坎、天井、陷坑，残缺等，使堤身处于完整无缺的状态。堤坡损坏除人为挖掘、施工等因素外,还有雨水冲蚀或挡水时浪打溜刷等原因。防止雨水冲刷破坏,主要是搞好草皮护坡和排水设施,雨后及挡水后出现水沟浪窝后进行修复时,应认真抓好工程质量,首先将水沟浪窝开挖成能够保证施工质量的坡度,然后分层夯实,其干容重不小于 15kN/m^3,严格避免水沟浪窝填面复冲。

2.7.12 堤防工程设置哪些观测项目?

3 级以上堤防工程,一般应设置以下基本观测项目:

(1)堤身沉降、位移。

(2)水位、潮位。

(3)堤身浸润线。

(4)表面观测(包括堤身堤基范围内的裂缝、洞穴、滑动、隆起及翻沙涌水等渗透变形现象)。

3 级以上堤防工程,根据工程安全和管理运行需要,还应有选择地设置下列专门观测项目:

(1)近岸河床冲淤变化。

(2)水流形态及河势变化。

(3)附属建筑物垂直、水平位移。

(4)减压排渗工程的效果。

(5)滩岸坍塌情况。

(6)冰情。

(7)波浪。

2.7.13 堤防绿化对保护堤防的作用是什么?

堤防绿化是保护堤防的一项重要措施,通过在临河堤脚以外管理范围以内栽植防浪林,汛期高水位时,能够削弱风浪对堤身连续不断的袭击,避免风浪坍塌等险情发生,减轻了防守抢险的负担。根据试验观察，良好的防浪林带能消除波高 80%～90%，通过在堤身植草，能够在暴雨时，承受雨水对堤防的冲刷，防止水沟浪窝发生，减轻堤身维护负担。

2.7.14 植树前应做好哪些准备工作？

堤防植树的时间主要是在春季，北方土壤解冻到苗根深度后，苗木新萌牙前，为最佳植树季节，秋季也可以植树。南方土壤不冻结地区可在苗木停止生长后至萌芽前进行。根据各地经验，在植树前做好各个环节的准备工作，是保证成活的关键措施之一。

(1)备苗。苗木的品种规格应按植树原则和计划要求选定。苗木的来源以就近取苗随挖随栽为原则，最好选用自育苗，万不得已时才能外地购苗，备苗工作应在植树前数月做好。

(2)整地、挖坑和施基肥。带林植树要整地，整地可在头年秋后进行，整地时要深犁、耙平。苗木栽植前要挖坑穴，挖穴的密度根据不同树种的植树密度要求确定，为了利于生长、整齐美观，株行距要严格标定。坑穴的大小和深度决定于苗木的品种和规格，一般应大于苗木根幅和根长 1～2 倍，以使苗木根系在坑内得以舒展，有充分的疏松土壤进行生长和发育，苗木栽植时，最好在坑内施基肥。

2.7.15 苗木栽植与浇水的具体方法是什么？

苗木栽植时既要掌握标准，又要保证质量，以提高成活率。具体栽植方法是：每纵横一行各有一人掌握方向，每穴有二人栽植，一人持树，一人埋土，持树人应先检查坑的大小和土的干湿程度，坑小根大，坑壁干燥时应扩坑挖出湿土面。经试放，坑的大小、深度适中，树干与相邻树的位置大致成线时，取出行苗，将底层土挖松一层，然后放下树苗，定好位置，扶正扶直，另一人填土，待填1/3至 1/2 时，应将树苗轻微晃动，向上提一提，以使根系舒展，与土壤结合紧密。然后分层填土,分层踩实,最后覆盖一层虚土,并在树的周围修一围埂,以便浇水。浇水的方法有两种,一种是机械浇水,即用机械抽水送至各树坑,这种方法浇水量大,湿得透,有条件的地方应尽量采用,但浇水时间不易太晚,在苗木栽完后,立即浇一次水,能大大提高成活率。另一种方法是人力挑水浇树。人力浇树,最好在树株入穴、填土约 1/3 时进行,这样能保证根系与土壤密切结合,根部土质长期处于湿润状态,有利于苗木成活和生长。如条件不允许,也可以于栽植后再浇,但时间不宜相隔太长。这时浇水,要根据树坑的大小、填土空隙率计算出需浇水量,一次把水浇足,应在浇水的同时用铁杆或木杆在树的周围插几个孔,以便进水洇渗,水浇透后要封孔,封土保墒,防止蒸发。

2.7.16 树株管理主要包括哪些内容?

树株管理主要有以下内容:①防止坏人破坏,其方法是建立健全管理组织,固定专人管理。树株破坏的规律是新植幼株易被拔走或移种或出卖,过了雨季,树木长大,破坏较少,待树干长到 4~6cm 粗时,又会出现破坏高峰。②抗旱排涝,浇水主要对幼龄树进行,夏季雨水多,应及时排除积水。③除草松土。在树株栽植三五年内特别重要,尤其是夏季,杂草刚发芽,要进行第一次除草松土,以便幼苗正常生长,除草次数一般在头三年每年 2~3 次,第四、第五年减至 1~2 次。④合理修枝。树株合理修剪能使树冠完整,枝条分布均匀,有利于透风透光,更好地进行光合作用,使树干长直,树根坚固,枝繁叶茂。树株修枝打杈应在入冬以后幼树转入郁闭期进行。在夏季生长旺盛期间,如没有防汛抢险等特殊要求不得进行。⑤病虫害的防治,要按照“防重于治”“治早,治小”的原则,将害虫消灭在初发和幼小阶段,防治虫害主要有物理机械防治和药剂防治两种方法。

2.7.17 我国北方和南方各有哪些害堤动物？

我国北方河流堤防中害堤动物以獾狐、鼢鼠为最多。一处獾洞，洞穴多达 30 个，洞径约 30cm，最大能达 120cm，洞长一般为 10～20m，有时能达 30m，在堤内分层纵横交错。鼢鼠洞穴，直径为 10cm 左右，洞长 10～20m，最长达数十米。与鼢鼠类似的害堤动物还有地猴、小地鼠等。在我国南方河流堤防中白蚁较多，常由背河打洞，延伸到临堤，有的蚁穴直径达几十厘米至 100cm，严重危害堤防安全。因此，防治动物洞穴和蚁穴是堤防管理工作中一项很重要的工作。

2.7.18 獾狐活动规律是什么？

獾狐的活动规律一般是夏季在外，冬季住窝。夏季青棵长起易于躲藏，觅食也方便；冬季一般自立冬开始至第二年春分前后，獾狐均住窝，但獾在严寒时期昼夜从不出窝，仅狐在夜间出来觅食，天亮前入窝藏身。因此，冬季白天在窝内捕捉最为有利。獾狐洞穴多为獾所掏，獾有利爪，掏洞本领惊人，一夜间可掏 7m，在捕捉时每小时可掏 1.2～1.5m。狐多占獾穴，在捕捉时不会堵门，不会掏洞，捕捉比较容易。

2.7.19 捕捉獾狐的方法主要有哪几种？

捕捉獾狐的方法很多，有挖洞、抢打、网围、狗捉、烟熏、毒饵、签扎及灌水灌浆等，不过最为稳妥的方法还是结合洞穴处理以挖洞捕捉为好。挖洞的方法有两种，一是顺洞掏挖，二是竖井拦截。

2.7.20 简述鼢鼠的活动规律和捕捉方法。

鼢鼠比一般家鼠略大，怕潮湿，喜干燥，终日在堤身打洞找食，危害堤防。活动最频繁的时间是在早晨、中午、黄昏和雨后。活动的部位:旱天或盛暑,常在柳荫地内活动,阴天多在堤身高处活动。这样在堤身内部就有许多网状空洞,相互串通。洞分三种:一种是洞窝,包括栖息、储粮、便溺等洞,一般较深,在地下1~3m。一种是通行洞,较浅,在地面以下0.2~0.3m,但较长,可达30~50m。第三种是支洞,是寻找食物打的洞,得到食物后即堵塞洞口。因此,鼢鼠洞在地面无明显洞口。寻找鼢鼠洞的方法是:在平坦的堤面上洞口处有两个相连的小土堆,在倾斜的堤坡上,仅有一个小松土堆,松土堆以内便是洞口。鼢鼠有易惊、怕风的特点,因此在发现有鼢鼠洞后,应立即将洞口挖开,使风灌入。

2.7.21 堤防白蚁主要来源于哪里?捕杀有翅成虫的方法是什么?

堤防白蚁主要来源于沿堤附近的蚁巢,每年4~6月时,蚁巢内有翅成虫分群,飞落到堤上后,便钻洞营巢,进行繁殖。因此,防治白蚁的办法,首先是要消灭飞翔的有翅成虫。一旦入堤繁殖,就在堤身采取措施进行消灭。捕杀有翅成虫最简易的办法是灯光诱杀。在每年4~6月有翅成虫分群时,利用其趋光性在白蚁飞翔范围内,安装黑光灯,或者汽油灯、煤油灯、电灯进行诱杀。黑光灯可安在堤顶或堤坡上,高度1.5~2.5m,每灯间隔40~50m,灯下放一水盆装水1/2~2/3,水中加少许煤油,当有翅成虫扑向灯光时,就掉在盆内浸水淹死。

2.7.22 蚁穴在堤坡的分布规律是什么?

蚁穴在堤坡的分布规律是:①堤背水坡多,临水坡少;②堤身上半部多,下半部少;③常年靠水的堤防,浸润线以上部位多,以下部位少;④临水滩宽、背河坑塘少的堤段多,临水滩窄、背水坑塘多的堤段少;⑤粘性土、砂壤土堤段多,砂土堤段少;⑥荒野地区的堤段多,人烟稠密的堤段少;⑦野草丛生的堤段多,光秃无草的堤段少。

2.7.23 堤防工程为什么要修建通信设施？

为了保证快速、可靠地将有关各种信息传送给防汛指挥中心，堤防管理单位应设置专门通信网，使其不但具备话音通信功能，还应具备数据、图像的传输功能。

2.7.24 对堤防起防护作用的生物工程主要有哪些？

主要有防浪林带、护堤林带、草皮护坡等。

第三章　涵闸工程

第一节　基本知识

3.1.1　什么叫涵闸？其作用是什么？

涵闸是一种控制水位、调节流量的低水头水工建筑物，具有挡水和泄水(或取水)的双重作用。在防洪、灌溉、排涝、挡潮、发电中，尤其在平原河道和滨海地区，得到了广泛的应用。按结构涵闸一般可分为涵洞式(图 3-1)和开敞式(图 3-2)两种。

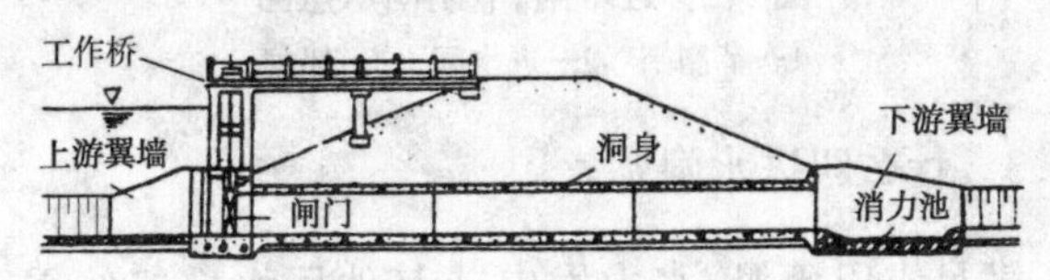

图 3-1　涵洞式水闸

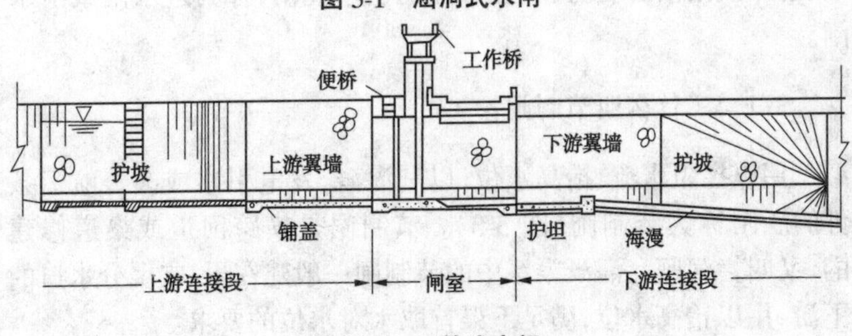

图 3-2　开敞式水闸

3.1.2　涵闸按作用分为几类?

按照作用可将涵闸分为进水闸(图 3-3)、节制闸、排水闸、分水闸、挡潮闸。

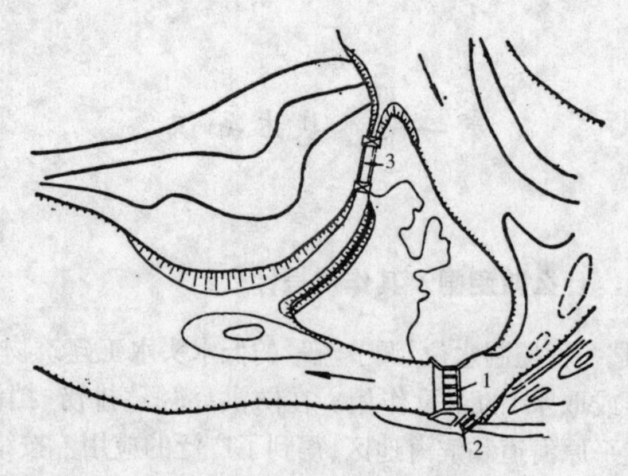

图 3-3　进水闸、节制闸示意图

1—节制闸　2—进水闸　3—船闸

3.1.3　什么叫进水闸?

为了满足农田灌溉、水力发电或其他用水部门的需要,在河道、水库或湖泊的堤防、岸边修建的引水涵闸,称为进水闸或引水闸。

3.1.4　什么叫节制闸?

用以拦阻水流,抬高水位,以利灌溉、发电引水或改善航运条件的涵闸称为节制闸(图 3-3)。节制闸是横跨河道或渠道修建的,又叫拦河闸。灌溉渠系中的节制闸一般建在干、支渠分水口的下游,用以抬高水位,满足下渠首取水对水位的要求。

3.1.5 什么叫排水闸？

排水闸、排涝闸、退水闸、泄水闸虽称谓不同，但其作用都是将多余(或有害)的水排泄出去。排水闸主要用以排除河流两岸低洼地区的渍水，使农田不受涝渍。它多建在排水的出口处，也有建在总干渠枢纽处的。

3.1.6 什么叫分洪闸？

洪水时为了削减洪峰，保证河道安全，分泄河道所不能容纳的洪水进入湖泊、洼地等蓄洪区或滞洪区而修建的涵闸叫分洪闸。它常修建在河道的一侧(图 3-4)。

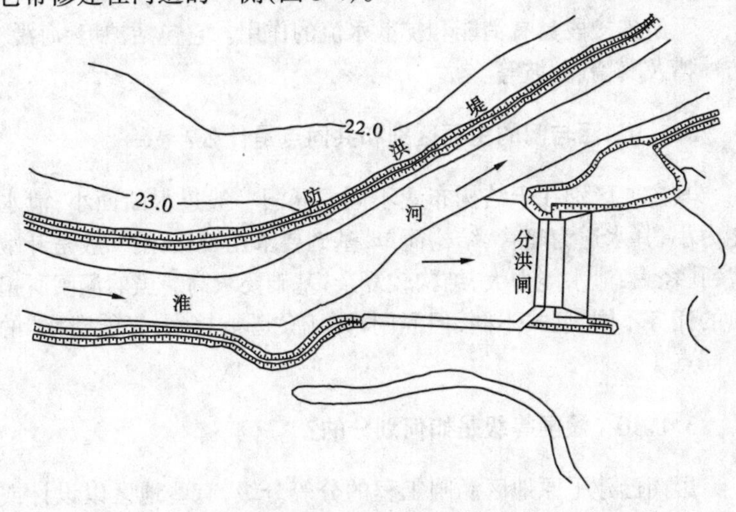

图 3-4 分洪闸示意图

3.1.7 什么叫挡潮闸？

沿海地区，潮水沿入海河道上溯，使土地卤化，造成危害，为防止海水倒灌入河而修建的水闸叫挡潮闸。挡潮闸还可以抬高河道水位，以便蓄淡水灌溉。河道两岸受涝时又可以在退潮时排涝入海。

3.1.8 涵闸通常有几部分组成？

涵闸通常由上游连接段、闸室段、下游连接段三部分组成（图3-5）。

上游连接段是引导水流平顺进入闸室，以防止水流冲刷河床及两岸，并具有防渗作用，能降低闸基渗流和两岸绕流对涵闸的破坏。它包括上游防冲槽、铺盖、上游翼墙、护底及护坡等。

闸室是涵闸的主体，它包括底板、闸墩、胸墙、闸门、工作桥及交通桥等。

下游连接段具有消能和扩散水流的作用。它包括护坦、海漫、防冲槽及翼墙、护坡等。

3.1.9 涵与闸的主要区别和共同点是什么？

其主要区别在于结构布置不同。涵洞一般过水断面小，泄水能力小，其水道为暗管，结构简单，基础要求比较低；闸一般是开敞式，孔径大，泄水能力大，结构较复杂，基础要求高。虽然涵闸所担负的任务不同，型式不同，但涵闸都具有“既能挡水，又能泄水”的共同点。

3.1.10 涵闸等级是如何划分的？

国内已建平原地区涵闸工程的分等分级，有些地区以设计或校核过闸流量的大小作为划分依据，有的以设计水头作为划分依据。有些涵闸工程，应根据具体情况，适当提高或降低工程级别。例如，修建在黄河大堤上的涵闸，其规模虽然不大，但是很重要，一旦失事，将造成严重后果。这些涵闸和黄河大堤具有同样的重要性，均按1级建筑物设计。

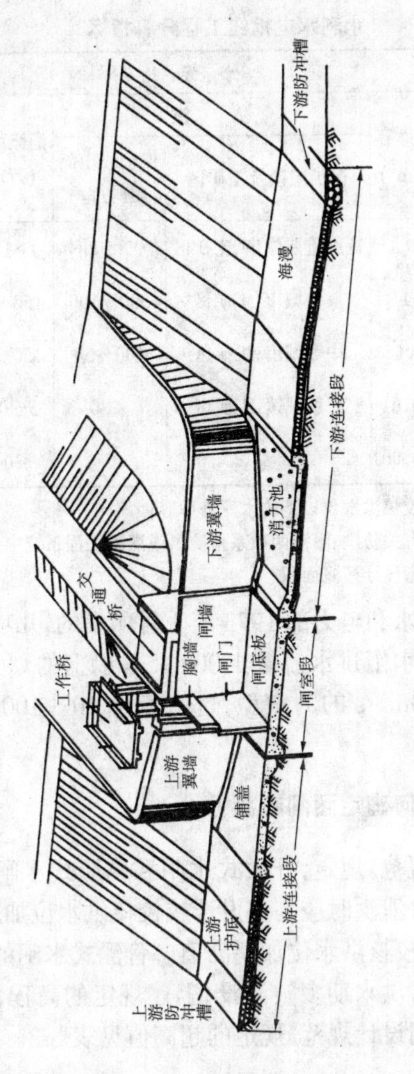
工作桥
交通桥
胸墙
闸墙
闸门
闸底板
上游翼墙
下游翼墙
消力池
海漫
铺盖
上游护底
上游防冲槽
下游防冲槽
上游连接段
闸室段
下游连接段

图 3-5　水闸立体示意图

表 3-1　　水利水电枢纽工程分等指标

工程等级	工程规模	分等指标				
		水库总库容（$\times 10^8 m^3$）	防洪		灌溉面积（万亩）	水电站装机容量（$\times 10^4 kW$）
			保护城镇及工矿区	保护农田面积（万亩）		
一	大(1)型	>10	特别重要城市、工矿区	>500	>150	>75
二	大(2)型	10～1	重要城市、工矿区	500～100	150～50	75～25
三	中型	1～0.1	中等城市、工矿区	100～30	50～5	25～2.5
四	小(1)型	0.1～0.01	一般城镇、工矿区	<30	5～0.5	2.5～0.05
五	小(2)型	0.01～0.001			<0.5	<0.05

注　①总库容系指校核洪水位以下的水库静库容；

②分等指标中有关防洪、灌溉两项系指防洪或灌溉工程系统中重要骨干工程；

③灌溉面积系指设计灌溉面积。

也可参考原水利电力部1973年1月印发的《几项水利标准的规定》来划分，将水闸过水流量1 000m^3/s以上的划为大型，过水流量100～1 000m^3/s的为中型，过水流量10～100m^3/s的为小型。

3.1.11　如何确定涵闸超高？

《水闸设计规范》规定，开敞式水闸和胸墙式水闸的闸顶高程（或岸墙顶高程），泄洪时应高于设计或校核洪水位加超高值，关门时应高于设计或校核洪水位加超高值。管涵式水闸的闸墩顶及岸墙顶的高程较低，洪水期多被淹没，上述规定的高程，系指启闭机平台高程。《水闸设计规范》规定的超高值见表3-2。

3.1.12　如何确定开敞式水闸闸室的抗滑稳定系数？

使涵闸保持稳定的荷载与使涵闸滑动的荷载之比叫做抗滑稳

定安全系数。根据《水闸设计规范》的规定，对于土基上的开敞式水闸，闸室的抗滑稳定安全系数按表3-3采用。

表3-2　超高下限值　(单位:m)

运用条件	泄洪时			关门时		
水闸级别	1	2	3	1	2	3
设计洪水位	1.5	1.0	0.7	0.7	0.5	0.4
校核洪水位	1.0	0.7	0.5	0.5	0.4	0.3

注　①在有泥沙沉积的河(渠)道上，应考虑泥沙沉积后水位有可能抬高的影响；

②对于挡潮闸，应考虑关闸潮位壅高的影响；

③修建在软弱地基上的水闸，应考虑地基沉降的影响；

④防洪大堤上的水闸闸顶高程，应不低于两侧堤顶高程。

表3-3　开敞式水闸闸室抗滑稳定安全系数

荷载组合		水闸级别		
		1	2	3
基本组合		1.35	1.30	1.25
特殊组合	Ⅰ	1.2	1.15	1.10
	Ⅱ	1.10	1.05	1.05

3.1.13　涵闸工作的特点是什么？

(1)稳定方面。涵闸关门挡水时，闸上下游形成的水位差，会造成巨大的水平向水压力，使水闸有可能沿基础底面向下游侧滑动，对于淤泥质、软粘土的地基，闸室的稳定尤为突出。为此，闸室应具有一定重量，以维持稳定。

(2)渗流方面。涵闸挡水时,在上下游水位差的作用下,沿闸基和涵闸两侧连接处会产生渗流。渗流可能把闸基和两岸土中的细颗粒顺水流带走,以致在闸后出现翻沙鼓水、管涌、流土现象,严重时把基础和两岸连接处淘空。渗流还将对水闸底部产生向上的扬压力,降低水闸的抗滑稳定性,如果渗水量很大,将会影响挡水效果,甚至蓄不住水。因此,应合理地拟定地下轮廓线和采取必要的防渗排水措施,以减小渗流的危害。

(3)抗冲刷方面。涵闸泄水时,下泄水量往往具有很大流速,极易引起闸下游冲刷,当冲刷范围扩大到闸基时,将导致涵闸失事,设计中必须采取有效的消能防冲措施。

(4)沉陷方面。涵闸建在软土地基上时,由于软土的压缩性很大,在闸室自重及外荷载作用下,地基可能产生很大的沉陷和不均匀沉陷,造成闸室倾斜,止水破坏,闸底板断裂,引起涵闸失事。因此,应正确拟定闸室结构型式和加固地基,以减小过大的沉陷和不均匀沉陷。

3.1.14 如何利用直线比例法计算闸底板下的渗透压力?

涵闸的铺盖、板桩及闸底板下的不透水部分与地基接触线称为地下轮廓线,其长度称为渗径长度(L),涵闸上下游的水位差为ΔH,距地下轮廓线末端 X 处的渗透压力 h_x(图 3-6)可按下式计算:

$$h_x = \frac{X}{L}\Delta H$$

3.1.15 涵闸设计的主要内容是什么?

涵闸的设计内容,主要包括闸址和闸坎高程的选择、闸室结构型式的选择和布置、闸孔尺寸的确定、地下轮廓的布置和渗透计算、两岸连接建筑物的结构型式和布置、消能防冲设计,以及各部

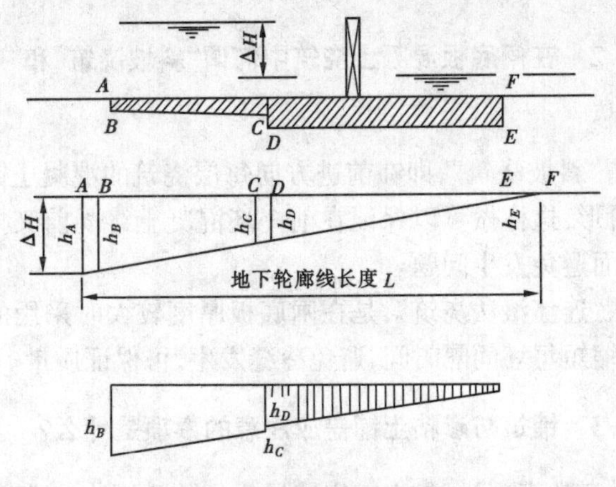

图 3-6　闸底渗透压力示意图

分结构物的稳定性、强度和变形(包括地基沉降)计算等。闸址主要根据地形地质及水流条件选定;闸坎高程主要考虑泄水和排沙要求,在有几个高程可供选择时,应适当考虑地基持力层的条件,并通过技术经济比较选定;闸室的型式主要考虑泄水的运用要求以及地质条件等因素,尽量采用有利于减小结构内力的型式;闸室上部结构的布置主要取决于闸门门型及其位置,尽可能利用闸室内的水重增加抗滑稳定性和防止闸基反力分布过分不均。

第二节　涵闸工程施工

3.2.1　涵闸工程施工大体分为哪几部分?施工中要注意哪些方面?

涵闸工程施工大体可分为基坑开挖、基础处理、闸室工程、上下游连接工程和闸门启闭机安装等部分。施工中要按设计要求做到质量优良、节省工料、注意安全、保证工期。

3.2.2　在闸底板混凝土浇筑中何谓“斜坡浇筑”和“连坯滚法浇筑”?

所谓“斜坡浇筑”,即在前进方向每层浇筑的混凝土铺料始终保持台阶形,这样做可以保证在前一坯混凝土终凝前又接上新混凝土,从而避免发生问题。

所谓“连坯滚法浇筑”,是在闸底板厚度较大时采用的分层浇筑方法,缩短每坯间隔时间,避免冷缝发生,可保证质量。

3.2.3　铺筑防渗粘土铺盖应注意的事项是什么?

应注意的事项是:①土料应该是非分散性的粘土或重壤土,土料质地均匀,比较松散,不含块径大于3cm的土块,不含杂草及腐殖土,含水量在最优含水量范围,否则应洒水或翻晒;②每坯铺虚土厚度20～30cm;③每层碾压6～8遍,现场取样进行密实度测定结果要符合设计要求;④力求质量均匀一致,平面上尽量做到一起填筑,必要分块时,要留斜坡接茬,其坡度不陡于1∶3;⑤铺盖填筑完成后,在做砌石或混凝土的防冲护面以前,应尽速铺填保护层或遮盖淋水养护,以防晒裂。

3.2.4　闸门止水的作用是什么?

止水是遮盖门体与门槽胸墙之间的缝隙,以保证闸门孔口尽量不漏水。止水安装要能起密封作用,又不致与导轨挤得过紧,而增大起落闸门时的摩阻力。

安装完全合格的闸门,平均橡皮止水每延长米漏水量应在0.1L/s以下。

3.2.5　涵闸回填土方工程施工应注意哪些问题?

涵闸的混凝土、砌石通过回填土方与堤岸连成一体,使涵闸能够挡水运用。在填土之前,基坑里的一切施工垃圾、冻土块必须清除干净。回填土料除设计有规定者外,应按一般筑堤要求选用。所用土料内不得含有施工垃圾、砂砾、腐殖物、冻土块、树草根等杂物。回填土方工程施工中必须严格按设计要求,确保质量,尤其是混凝土、砌石的四周更应夯压密实,必要时还要筑粘土环。

回填土范围内往往设有渗压观测管、沥青麻布止水等埋件,既要维持埋件无损,位置正确,又要做到填土密实。这些埋件周围的填筑更需特别细心。

3.2.6 闸门安装应注意什么?

平原地区水闸多采用平面闸门或弧形闸门,尤以平面闸门更为普遍。平面闸门的结构型式又以双横梁式及无横梁式较多。闸门制作材料通常有金属、木材、混凝土、钢丝网水泥等。

1.门槽埋件安装

门槽埋件是指埋设在混凝土内的门槽固定构件,包括主轨、反轨、侧轨、门楣、门坎等。水头较高的闸门还有门槽混凝土棱角保护装置。

埋件安装之前要逐一进行检查,构件变形不能超过指标,否则应进行校正处理。埋件变形的校正处理通常使用压力机或千斤顶矫形。若有经验丰富的安装工人也可用氧气乙炔火焰加热,利用构件本身金属热胀冷缩的内力矫形。使用火焰加热矫形时,禁止用冷水急剧冷却,以免金属变脆。

(1)门坎安装。要求高程误差控制在 ±5mm 以内,中心偏差 ±5mm 以内,工作面倾斜不大于 2mm。门坎左右两端相对高程差不超过 3mm。

(2)主轨安装。主轨是主要承力部件。它的安装误差,在门叶高度 0.5~1.0 倍的范围内,对门槽中心线 a 为 +2mm、-1mm,对孔口中心线 b 为 ±3mm;在门叶高度 0.5~1.0 倍外的非工作范围，要求稍低于工作范围内之误差，为 $a\ {}^{+3}_{-1}$mm，$b\pm4$mm；踏面倾斜 $f\leqslant0.1$mm。至全部轨道调整合格后，用电焊将螺帽焊固。

(3)反轨、侧轨安装。反轨、侧轨是闸门的辅助轨道，在闸门起落时起导向作用。辅助轨道安装调整方法与主轨相同，其允许误差为：①侧轨，$a\pm5$mm，$b\pm5$mm，$f=2$mm。②反轨，工作范围内 $a\ {}^{+3}_{-1}$mm，$b\pm3$mm，工作范围外，$a\ {}^{+5}_{-2}$mm，$b\pm5$mm，$f=2$mm。

(4)门楣安装。门楣即顶封水座。为了便于门楣吊装就位，预先在轨道面上定出门楣的横向中心高度线，并在两主轨道内侧固定两个托脚，将门楣吊落在托脚上，然后利用调整螺丝进行位置调整。门楣初步固定后，可在两主轨道外侧焊一线架，沿门楣水封面中心拉一钢丝，然后每隔 0.5m 测量一次，如读数 a 值误差不超过 ±2mm，倾斜不超过 2mm，即认为调整合格。

2. 门体组装

中小型闸门宜在工厂将整扇门体组装好，到达工地只需进行吊装及与启闭机的连接。大型闸门因受运输条件限制，一般在工厂分块进行预装后，做好标记，再分块运至工地进行正式组装。

门体组装测量可用水平仪或钢丝线的办法进行检查。闸门对角线误差不宜超过以下数值：闸门长边 $B\leqslant5$m 时，误差 $a=3$mm；$B=5\sim10$m，$a=4$mm；$B=10\sim15$m，$a=5$mm；$B>15$m，$a=6$mm。

门体不平度的测量点设在边柱中心线与主横梁中心线相交处，每个闸门共设 4 点。门体不平度的误差控制在 2mm 以内。节间腹板错牙不超过 1mm。

门体组装要特别注意防止焊接变形。要选择合理的焊接顺序和方法，并在焊接过程中加强检查，及时发现问题，采取相应对策。

3. 支承安装

装在门体上的活动支承包括主支承和辅助支承。主支承传递水压力，辅助支承在闸门升降时起导向作用。支承型式有滑动和滚动两种。

主支承的安装要求一扇闸门上所有主支承务必调整在同一平面上。辅助支承要按设计图纸调整支承与轨道之间的间隙。

4. 止水安装

闸门止水装置是遮盖门体与门槽胸墙之间的缝隙，以保证闸门孔口尽量不漏水，要求安装得既能起密封作用，又不致与导轨挤得过紧，而增大起落闸门时的摩阻力。闸门止水大部分用橡皮材料。橡皮止水通过螺栓、压板固定在闸门面板上。为了避免螺孔漏水，橡皮上的螺孔直径要小于固定螺栓直径 2mm。橡皮止水的工地现场接头，一般应用热压胶接的方法。为了保证止水橡皮的压紧度，固定螺栓的螺栓头应低于止水橡皮 8mm 以上。顶侧水封的橡皮圆头应在同一平面上，并且符合图纸位置，误差不大于 2mm。不符合要求时一般应用调整止水下面的平板橡皮垫的厚度的办法来解决。

5. 闸门吊装

闸门门体全部组装检查合格后，即可着手吊装，平面闸门可以利用已经安装好的启闭机吊装。当启闭机尚未安妥时，也可以在机架桥上用道木搭设临时吊装设施，或者使用人字扒杆吊装。闸门安装完毕后，要在无水情况下全行程启闭三次。试验时在止水部位浇水润滑，以便减少摩损。进行启闭试验的同时要详细检查门叶止水装置、主辅支承装置的运行情况。查明各部无阻卡或损坏后，将门叶置于工作部位，再用灯光检查止水压紧情况，局部压缩量过少时采用加垫或调换平板橡皮垫厚度的办法将其调整到设计要求，以免闸门漏水。

安装完全合格的闸门，平均橡皮止水每延长米漏水量在 0.1L/s 以下。

上述为平面钢闸门的安装，近年来中小型水闸采用混凝土闸门的也比较多,混凝土闸门的安装除无门体金属件组装外,其余各项安装工作及要求均与钢闸门相同。

第三节　涵闸工程运行

3.3.1　涵闸工程管理的目的与工作内容是什么?

(1)管理目的。确保涵闸工程完整和防洪安全,充分发挥工程效益,以及延长使用年限。

(2)管理工作内容:控制运用;检修养护;观测工作;开展经营管理。

3.3.2　涵闸运用应注意的事项是什么?

涵闸运用时应注意:①下游的消能;②闸门的对称启闭;③同步开启,分级提升;④流态变化和闸门震动。

3.3.3　闸门运用前应进行哪些检查?

闸门运用前应检查:①使用工具是否完整齐备,人力组织是否健全适当;②动力机械设备是否完备正常;③闸上下游有无行水障碍;④发生问题及时处理,并将检查记录存入技术档案。

3.3.4　闸门启闭操作应注意什么事项?

闸门启闭操作应注意:①启闭时,应有步骤地进行操作。②闸门开启高度,应视下游尾水水情而定,一般不超过 0.5m,要求水跃发生在消力池内,避免发生远驱式水跃。一般多孔闸门要对称开启,闸门置于同一高度。③闸门启闭时,不能将闸门停放在发生震动的位置。④启闭机运转不得超过设计规定。

3.3.5 绘制闸门开启高度(a)与流量(Q)关系曲线的步骤是什么?

开启高度与流量的关系,与出流形式、下游流态、计算公式等有关。以闸孔自由出流为例,按公式 $Q=\varphi bh_C\sqrt{2g(H_0-h_C)}$ 列表计算;将计算结果,以 a 为纵坐标,以 Q 为横坐标,点在方格坐标纸上;将其点连成光滑曲线,即为 $a\sim Q$ 关系曲线(图 3-7)。

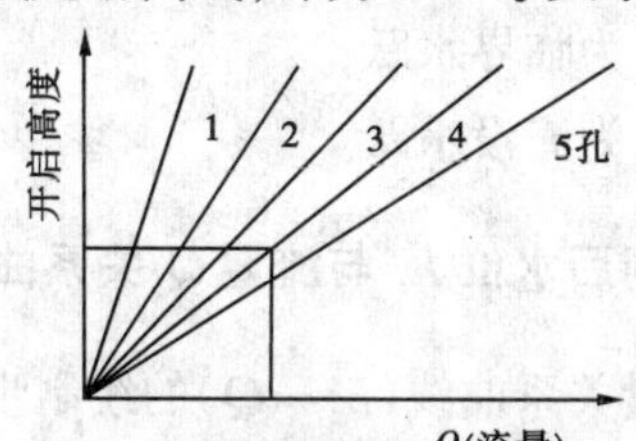

图 3-7 闸门开启高度与流量的关系曲线

3.3.6 试述闸孔出流的流态有哪几种?

水流通过涵闸时的状态称为流态。按水力学分类可分为堰流和孔流。堰流和孔流均可按下游水位与孔口的位置关系分为自由式和淹没式。

当闸门提出水面,同时上游水位又在胸墙或洞顶以下时,闸孔以下为堰流。当闸门没有提出水面或上游水位超过洞顶时,闸以下为孔流。

3.3.7 如何判断孔流与堰流?

(1)对于宽顶堰底坎,当开启高度 a 与闸上游水深 H 的比值,即当 $a/H\leqslant 0.65$ 时为孔流,当 $a/H>0.65$ 时为堰流。

(2)对于实用堰底坎,当 $a/H\leqslant 0.75$ 时为孔流,当 $a/H>0.75$ 时为堰流。

3.3.8 如何判断闸后水跃形式?

当明渠水流从急流过渡到缓流,即水深从小于临界水深加大到大于临界水深时,是以自由水面突然升高的形式进行的,这种急剧升高的现象,叫做水跃。按照跃后水深 h_c''与下游水深h_t 的关系来判断水跃的形式。

当 $h_c''>h_t$ 时,为远驱水跃;

当 $h_c''=h_t$ 时,为临界水跃;

当 $h_c''<h_t$ 时,为淹没水跃。

3.3.9 叙述闸后水位 h_t 与流量Q 关系曲线的绘制步骤。

闸后水位、流量关系曲线($h_t\sim Q$)的绘制步骤是:

(1)渠道断面要素的计算(以梯形断面为例)。设闸后渠道断面的底宽为 b,边坡为 m,渠底坡为 i,渠道糙率为 n,则

过水断面面积 $A=(b+mh_t)h_t$。

梯形渠道湿周 X,即断面中浸润部分的长度,也就是两边坡之长度加底宽,$X=b+2h_t\sqrt{1+m^2}$。

水力半径 R,即断面面积与湿周之比,$R=\dfrac{A}{X}$。

(2)$h_t\sim Q$ 关系曲线之推求,利用公式

$$Q=AV \quad (V\text{为断面平均流速})$$

$$V=\frac{1}{n}R^{2/3}i^{1/2}$$

则
$$Q=(b+mh_t)h_t\cdot\frac{1}{n}R^{2/3}i^{1/2}$$

上式除了 h_t 及Q 是未知数外,其他参数均为已知,这样只要假定一个 h_t,就可求出相对应的 Q,假定许多不同的 h_t,就可以求出许多不同的 Q。

(3)以 h_t 为纵坐标,以 Q 为横坐标,将计算成果绘制成 $h_t \sim Q$ 关系曲线。

3.3.10 试述闸门运用曲线的绘制方法。

将同一闸前水位的 $a \sim Q$、$h_t \sim Q$ 及 $a \sim h_c''$ 关系曲线绘入同一坐标系中,此图就成为闸前水位为某一值时的闸门控制运用曲线图(图 3-8)。以此图进行闸门控制运用和查算闸门过流能力。

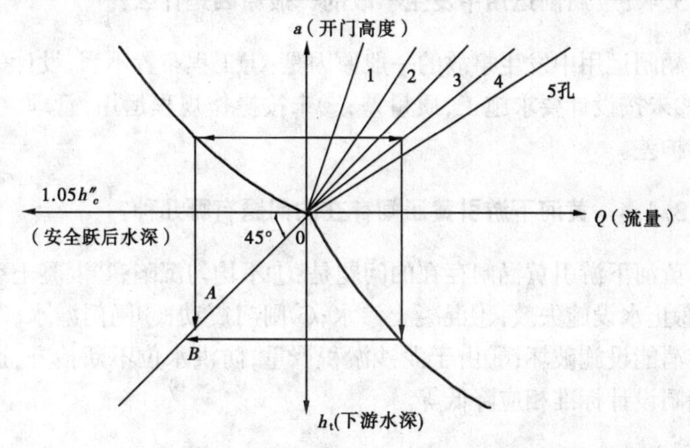

图 3-8 某蓄水位的闸门运用曲线($OB > OA$ 为淹没水跃)

第四节 涵闸工程管理养护

3.4.1 涵闸工程管理的任务是什么?

涵闸管理的任务是:确保工程完整、安全,合理利用水资源,充分发挥工程效益;在管理好工程的前提下,开展综合经营,维修养护工程,改善职工生活;积累资料,总结经验,提高管理水平。

3.4.2 涵闸工程管理单位的职责是什么?

管理单位的职责是:①对工程进行检查、观测、分析研究,掌握工程状态;②进行维修养护,确保工程完整、安全;③严格控制运用;④掌握水情,做好防洪、防凌工作;⑤征收水费;⑥开展综合经营;⑦开展科研和技术革新;⑧制订或修订管理办法。

3.4.3 涵闸运用中发生事故的一般原因是什么?

涵闸运用中发生事故的一般原因是:①工程布置不当,设计失误;②未按设计要求施工,质量差;③未按操作规程运用,管理、维修养护差。

3.4.4 黄河下游引黄涵闸存在的问题有哪几种?

黄河下游引黄涵闸存在的问题是:①不均匀沉陷;②混凝土裂缝;③止水设施失效;④混凝土渗水;⑤闸门震动;⑥闸门漏水;⑦下游消能设施破坏;⑧由于泥沙淤积严重,防洪水位不断抬升,造成涵闸设计标准相应降低等。

3.4.5 有压涵洞为什么要设置通气孔?

对有压涵洞,为防止洞内发生真空,产生负压,影响工程安全,均设有通气孔,运行期间要经常检查通气孔是否畅顺,运用中听声音有无变化,如有堵塞应立即设法捣通。

3.4.6 涵闸工程的维修养护工作应遵照什么原则进行?

涵闸工程的维修养护工作应遵照经常养护、随时维修、养重于修、修重于抢(险)的原则进行。

3.4.7 维修养护的一般要求是什么?

(1)混凝土工程表面有磨损、冲刷、风化、剥蚀、裂缝等缺陷,查明原因,根据具体情况进行维修。

(2)伸缩缝、沉陷缝填料如有流失的要补充。设有沥青井的一般二至三年进行一次加热补充沥青。

(3)建筑物本身的排水孔及周围的排水沟、集水井、排水管等均应保持畅通,如有堵塞、淤积或破坏,应及时修复或增设新的排水设施。

(4)砌石工程发现有裂缝、勾缝脱落应及时修补好。岸坡、护坡、裹头及护坦发生脱坡蛰陷或被冲坏,应探明原因及时修复。

(5)建筑物与大堤结合处及填土部位,发现有裂缝、空洞,要及时回填和打锥灌浆,防止发生渗漏。大堤和上下游翼墙的土方工程,要随时平填水沟浪窝。发现隐患,及时处理。

(6)启闭机定期检修,并经常加油保持润滑,钢丝绳、丝杆机件应涂油防锈。启闭机械和动力机械设备要保持整洁,启闭灵活,在用水季节,至少每月进行一次运转检查。

(7)闸门门体避免腐蚀,保持整齐无垢,运用灵活。闸门止水设备,支承、行走、导向装置,门槽、门框、护面、底坎等部位,通过养护必须保证完整和牢固,表面平整并具有一定的光洁度。结构零件缺少者要补齐,如有变形应进行修理或更换。

(8)土工建筑物斜坡上、挡土墙附近,不得堆放重物,以免影响工程安全。人行桥、交通桥、工作桥、洞口等处的栏杆要完整安全可靠,经常涂漆保护,防锈,防腐。

(9)有压涵洞,设通气孔的要保持经常通气畅顺,防止堵塞。

(10)用于维修养护及备防的料物、器材、设备,要堆放整齐,妥善保管,不准挪用。

3.4.8 特殊情况下如何进行检查养护?

涵闸工程在运用过程中,当工程遭受大洪水、暴雨、狂风、强烈地震、爆破震动等影响,或改变涵闸工程设计能力,或发生重大工程事故时,均需及时进行检查。着重检查涵闸各部位有无裂缝和局部损坏,原有的缺陷和裂缝有无发展,渗漏量是否增大等情况。这种检查大多是在上级领导机关参与并主持的情况下进行的。必要时可请设计、施工、科研部门参加。所有检查都应认真进行,详细记载,作出总结、鉴定,上报主管单位。

根据检查发现的问题,针对工程破坏情况,及时采取相应的处理、维修养护措施。

3.4.9 启闭机的养护主要包括哪几部分?

闸门启闭机的养护主要包括动力部分、传动部分、制动部分、悬吊装置、电器部分。

3.4.10 钢质闸门一般养护方法是什么?

对钢结构的养护主要是防锈防腐蚀。一般采用表面处理、涂料保护和防腐蚀、金属喷镀保护、电流阴极保护等方法。

3.4.11 木质闸门的一般检查和养护方法是什么?

(1)一般检查。木闸门的结构要比钢闸门简单得多,因而一般来说,检查也比较简单。首先要对其水位变动部分或受潮部分,以及下游面的裂缝和腐朽、拼接处的分离情况,进行检查和维修。其次对连接闸板的角钢、螺栓及丝杆,是否锈蚀、扭曲和润滑,亦须注意检查和维护。

(2)一般养护方法。木质闸板一般采用表面油漆和涂沥青防腐两种养护方法。在油漆和涂抹沥青之前,木闸板应有适当的干燥度,因为过湿的闸板经油漆后会妨碍闸板内水分发散、收干。因此,油漆、涂沥青的养护工作最好在每年的干燥和暖和的季节进行,要求不得少于两遍。对腐朽严重的闸板,破损、锈蚀的铁件,应当进行更换、加固。

3.4.12 哪些部位易发生气蚀?其检查方法是什么?

气蚀发生的部位主要是闸门底部和闸门坎,气蚀有时是很严重的。由于气蚀的作用,致使工程局部遭到破损,要定期检查。检查的方法有:

(1)拓碑法。就如在石碑上拓字一样,将气蚀部分拓印墨模,拍成照片。

(2)抹颜色粉末法。即用不同于气蚀物件的颜色的粉末,涂抹在气蚀部分,就可以清晰地明辨出气蚀情况。

一经发现有气蚀发生,就要采取措施消除气蚀现象,并对已发生气蚀的部位和部件,根据其气蚀程度进行修补,必要时予以更换。

第五节 涵闸工程维修

3.5.1 涵闸工程发生的问题大致可分为几类?

涵闸工程在复杂的自然条件影响下,在各种外力作用下,其状态随时都在变化,由于设计、施工、运用管理等原因,使工程产生运用的问题,如不及时维修,将会影响建筑物的安全运用,严重的可导致工程失事。

涵闸工程存在的问题大致可分为以下几类:

(1)混凝土工程的表层损坏;

(2)混凝土工程的裂缝；

(3)混凝土工程的渗漏；

(4)闸板损坏、变位及启闭机失灵；

(5)观测设备失灵；

(6)工程整体性的结构破坏；

(7)混凝土老化及其他。

3.5.2 混凝土工程的表层损坏包括哪几个方面？

表层损坏也称为缺陷，它包括损伤、蜂窝麻面、空洞、缝隙疏松夹层、裂缝等。

3.5.3 混凝土的表层损坏修补一般有几种方法？如何选择？

一般用水泥砂浆、预缩砂浆、喷浆、喷混凝土、压浆混凝土、混凝土真空作业、环氧及其他化学材料修补。

当修补的损伤是小蜂窝麻面时，可用1:2水泥砂浆。当修补的面积较大时，深度在5cm以下的，可采用预缩砂浆、环氧砂浆或喷浆填补；深度在5～10cm时，可采用普通砂浆或挂钢丝网喷浆填补；深度为10～20cm的，可采用喷混凝土或普通混凝土回填；深度大于20cm的，可采用普通混凝土、喷混凝土、压浆混凝土或真空作业混凝土回填。

3.5.4 混凝土裂缝有哪些？其特征是什么？

涵闸工程混凝土裂缝有沉陷缝、温度缝、干缩缝、应力缝及施工缝。

(1)沉陷缝。贯穿性的，其走向一般与沉陷走向一致，宽度受温度影响较小。

(2)温度缝。可分为表层、深层或贯穿性的。表层的，走向一般没有一定规律性；深层或贯穿性的，走向一般与主筋方向平行或接近平行,与架立筋方向垂直或接近垂直。缝宽沿长度方向变化不大,但受温度影响。

(3)干缩缝。属于表面性的,走向纵横交错,形似龟纹,缝宽和缝长很小,如发丝一样。

(4)应力缝。属于深层或贯穿性的,走向基本与应力筋垂直或接近垂直,缝宽较大,沿长度、深度方向变化不大,受温度影响小。

(5)施工缝。属于深层或贯穿性的,走向与工作面一致。竖直施工缝一般较大,水平施工缝较小。

3.5.5 混凝土裂缝修补时机如何选择?

一般裂缝宜在低水头或地下水位较低,适宜于修补材料凝结固化的温度或干燥条件下进行。对于必须在水下修补的裂缝,要选择相应的修补材料和方法。对高气温影响的裂缝,宜在低温季节开度较大的情况下修补;对不受气温影响的缝,则应在裂缝已经稳定的情况下选择适当的方法修补。

3.5.6 混凝土裂缝处理方法有几种?

处理混凝土裂缝可采用表面涂抹、表面贴补、凿槽嵌补、喷浆修补 4 种方法。

3.5.7 混凝土裂缝的凿槽嵌补形式有几种?

凿槽嵌补混凝土裂缝有“V”、“⎵”、“⏢”形三种。“V”形槽多用于竖裂缝;“⎵”形槽多用于水平裂缝;“⏢”形槽多用于顶面且有水渗出的裂缝。

在选用修补材料时应注意:

(1)用膨胀水泥砂浆时,要保持槽内湿润,有渗水但不能有流水现象。

(2)用预缩砂浆时,不宜用“V”形槽,应适当加宽加深成台阶形。

(3)用水下环氧材料时,不论槽内干燥与否均可,但不能有流水现象。

(4)用沥青材料或用普通环氧材料时,要保持干燥。

3.5.8 涵闸工程渗漏处理的基本原则是什么?

涵闸工程渗漏处理的基本原则是:上截下排,以截为主,以排为辅。

3.5.9 涵闸工程渗漏常用的处理方法有几种?

(1)对于闸体裂缝引起的渗漏,其表面可用涂抹、粘贴、嵌补、喷灌等方法,其内部可用化学灌浆。

(2)对于绕闸渗漏,可在枯水期开挖回填,或加修齿墙,也可用压力灌浆办法处理。

(3)对基础渗漏,可在上游采用帷幕灌浆、旋喷或灌注连续截渗墙,但最好在其下游辅以反滤导渗。

(4)对于集中渗流,可用堵塞孔洞口的办法处理。

(5)对于散渗,可用化学灌浆、涂抹处理,也可用筑防渗层的办法处理。

3.5.10 涵闸工程发生渗漏的种类及原因是什么?

涵闸工程,由于渗漏出问题,乃至失事造成严重后果,这在各江河上都有沉痛的教训。涵闸工程的防渗止水系统历来都被设计、施工、管理部门所重视。

渗漏可分为:①建筑物本身渗漏。如裂缝、结构缝、伸缩缝和蜂窝空洞等引起的渗漏。②建筑物基础渗漏。③建筑物与土堤接触面的渗漏。④绕建筑物旁侧渗漏。

造成渗漏的成因为:

(1)由于勘探工作做得不够或封孔不好,闸基面留有隐患,在大洪水高水头作用下导致渗水管涌。

(2)由于设计考虑不周,防渗止水系统措施不良,在某种应力或水压力作用下,混凝土产生裂缝,或从止水薄弱环节发生渗漏。

(3)混凝土施工漏振、振捣不实,或级配不好,或过早承受荷载……都可能产生蜂窝、空洞、裂缝,涵洞(管)接头处混凝土与基础接触不好,止水施工不良,加上运用不当都会引起渗水。

(4)遭受强烈地震及其他破坏作用,也会使混凝土产生裂缝,发生渗漏。

3.5.11 混凝土为什么会老化?

混凝土一般都有老化问题。重要工程,要求正常运转100~150年;普通工程要求运转50年。但是由于冰融、渗漏、碳化等引起钢筋锈蚀,形成混凝土裂缝,甚至崩塌;环境水对混凝土的腐蚀,水流冲刷、磨损、气蚀;碱骨料反应引起混凝土膨胀破坏等,都会引起混凝土过早老化。

3.5.12 什么叫混凝土碳化?

混凝土中含有硅酸盐、铝酸盐等水泥水化物及大量氢氧化钙。空气中的二氧化碳沿孔隙或裂缝渗入混凝土内,与氢氧化钙反应生成碳酸钙,形成碳化层,强碱变为中性盐。碳化由表及深,当深度达到或超过保护层时,钢筋保护膜破坏而锈蚀。锈蚀后钢筋体积增大,混凝土胀裂,形成裂缝,表面混凝土酥碎,又加剧钢筋锈蚀。如此恶性循环,导致混凝土剥落、破坏。

3.5.13 如何进行混凝土及钢筋混凝土工程的检查养护?

涵闸工程中的混凝土和钢筋混凝土,多为闸室部分的闸墩、胸墙、翼墙、底板、启闭机梁和闸后涵洞。在运用过程中最容易出现的问题主要是:混凝土的裂缝、水流对混凝土的磨损、混凝土体内的渗水和漏水等问题。因此,对这些问题应注意检查养护。

(1)注意检查混凝土或钢筋混凝土工程在施工期间所造成的薄弱部位,如代用材料的使用部位、钢筋下沉量过大的部位。检查是否产生裂缝,混凝土表面是否磨损、剥落、渗水等,一经发现上述现象后,立即进行处理。

(2)对混凝土或钢筋混凝土挡土墙应特别注意墙后排水。设置的排水管如被堵塞,应设法弄通,否则回填土料湿度增大,挡土墙承担额外的压力,可能引起墙身的移动或倾斜,所以墙后积水必须及时排除。

(3)水流对混凝土面的磨损现象,应在每次定期检查中进行观察,必要时需要采取喷浆或其他方法予以修补,不能使钢筋外露,发生锈蚀。

(4)对蜂窝麻面甚至出现过孔洞的部位,注意其变化情况和是否产生渗水等现象,并注意混凝土侵蚀处是否有白色乳状的游离钙质被带出。

(5)冬季注意扫除混凝土表面上的积雪或积水,以免混凝土表面遭受冰冻破坏。

(6)涵闸工程设计不合理的接头,在定期检查中给以充分注意。

(7)对伸缩缝、沉陷缝、止水设施,注意定期检查,发现有损坏要予以处理,填料流失要补充。

(8)水闸下游,特别是底板、闸门槽和消力池内的砂石,应定期清理打捞,防止表面磨损。

3.5.14 造成闸下游消能工破坏的原因是什么?如何防止消能工损坏?

闸下游消能工破坏的原因主要有三个方面:

(1)消能工过短、设计不周。水流过闸后的剩余能量没有最大限度地消减,余能过大,易发生揭底或溯源冲刷。

(2)地质勘探试验资料不足,设计渗径长度不够,布置不合理,下游反滤排水设施不良,因而会出现基础不均匀沉陷,或扬压力过高引起地基渗透变形,或回流淘刷造成岸坡倒塌等破坏现象。

(3)因闸门超负荷或不对称运用,调度不合理,恶化下游水流流态,造成水流能量过大、集中,工程的护底或护坡被淘刷。

防止消能工损坏要根据已建涵闸情况,从运用、管理和改建工程方面采取措施:①严格按设计条件运行,以改善水流条件;②对涵闸消能工长度不足的,要加修消能工,最大限度地消减水流余能;③延长工程渗径,避免引起下游基础渗透变形;④修复排水反滤设施;⑤抬高尾水,减少冲刷等。

3.5.15 砌体工程整修加固方法一般有几种?

整修加固的方法一般有勾缝填塞、回填重砌、渗漏处理(沥青麻绳填塞、环氧材料涂抹、水泥灌浆)等。

3.5.16 涵闸砌体工程的裂缝如何整修处理?

对于表层浅缝,浆砌缝深在 10cm 内者,可沿缝凿开,冲洗干净,使原砌石面露出,然后在内侧刷一层水灰比 0.45~0.50 的水泥砂浆,用 1:1 的高标号水泥砂浆填塞压实,表面抹光,恢复原样。对于裂缝很深,已贯穿砌体,或砌体塌陷的裂缝,需将塌陷的部分全部拆除,并开挖到被冲通道的出口处,将水沟浪窝、蛰陷部分用壤土或粘土回填夯实后,再重砌拆除部分的砌体,新老砌体要交错相接,并用原砂浆灌实,待固结后,勾缝恢复原样。

3.5.17 灌浆按方式分有哪几种?按灌注材料分为哪几种?

灌浆按方式分为重力式灌浆、手摇式压力灌浆、循环式压力灌浆、重力式与压力式混合灌浆。按灌注材料分为粘土灌浆、粘土水泥灌浆、水泥灌浆和化学材料灌浆。

3.5.18　如何选取灌浆压力？

灌浆压力是在灌浆过程中逐渐提高的，其极限值应有以下考虑：①不允许破坏结构；②应大于水头压力；③布孔密，压力则小，反之则大些。

粘土、粘土水泥灌浆一般为50～300kPa；水泥与化学材料灌浆一般为300～500kPa。

3.5.19　灌浆时应注意哪些事项？

进行灌浆时，①要注意对灌浆孔附近及建筑物周围进行仔细检查，发现异常现象及时处理；②严格控制灌浆压力，发现问题及时调整；③灌浆工作要连续进行，不得中途停灌，还要及时复灌，并注意浆液稠度；④随时注意灌浆质量、材料、配合比、外加剂、工艺等是否符合要求；⑤灌浆结束后，要及时清理设备。

3.5.20　灌浆中常遇见哪些问题？其处理方法是什么？

(1)串孔。用木橛阻塞冒孔或插管灌浆，或加大孔距，降低压力，继续施灌。

(2)喷浆。插管前要排气或灌一定时间拔管放气，再施灌。

(3)冒浆。可将浆液变稠或降压，必要时停灌予以制止。

(4)揭皮及新裂缝。需要降压。

3.5.21　对于土石结合部及大堤本身裂缝常采用什么材料灌浆？对于混凝土、砌体裂缝开度大于0.3mm情况常采用什么材料灌浆？对于裂缝小于0.3mm宜采用什么材料灌浆？对于渗透流速较大或受温度变化影响的裂缝常采用什么材料灌浆？

分别采用粘土、水泥、化学、化学材料灌浆。

3.5.22 环氧树脂有哪些特性?

环氧树脂是一种高分子聚合物,具有一般热塑性材料所有的性能,即本身不会固化,但加入固化剂后,会由液体变为固体,吸水率低,收缩性较小,绝缘性和耐化学稳定性高。它不但有很高的强度(一般为混凝土的3~4倍),而且和许多金属、非金属材料有很高的粘结力,同时可溶性较好。

3.5.23 什么叫丙凝?

丙凝是以丙烯酰胺为主剂,配以其他材料,发生聚合反应,形成不溶于水的弱性聚合体,可填充混凝土裂缝或砂层中空隙,并把砂料胶结起来,起到堵水防渗和加固地基的作用。

3.5.24 什么叫甲凝?

甲凝是以甲基丙烯酸甲酯为主要成分,加入引发剂等组成的一种低粘度的灌浆材料。它是无色透明液体,粘度很底,在25℃时,仅为0.57厘泊,渗透能力很强,可灌入0.05~0.1cm的细微裂缝,在一定压力下,还可渗入无缝混凝土中一定的距离。常用于混凝土补强处理。

3.5.25 什么叫丙强?

丙强是脲醛树脂与丙凝混合而成的一种灌浆材料,它弥补了脲醛树脂抗渗性能差和丙凝强度低的缺陷。

3.5.26 什么是水玻璃类浆液?

水玻璃类浆液是由水玻璃溶液和相应的胶凝剂构成的一种灌浆液。当它被灌入堤防地层后,经过化学反应便生成硅酸凝胶,在土(砂)的孔隙中充填,从而达到堤防固结和防渗堵漏的目的。

水玻璃浆液的粘度小,流动性好,在用水泥浆或粘土水泥浆难以灌入的细砂层和粉砂层堤基的防渗处理中,可使用这种水玻璃浆液。

3.5.27 丙乳水泥砂浆如何配制？其特点是什么？

丙烯酸酯(丙乳)水泥砂浆对混凝土表面涂(喷)抹,可防碳化。丙乳砂浆能与混凝土很好粘接,不脱落、易施工,保护效果好且价格便宜。

丙乳砂浆配制:先配制丙乳净浆,净浆用丙烯酸酯共聚浮液(丙乳)、稳定剂浓乳602,配成30%的溶液,再加砂、水泥配成丙乳砂浆。

3.5.28 环氧材料根据不同用途可组合成几类材料？

环氧材料根据用途不同常组合成:环氧基液(环氧树脂+增韧剂+稀释剂+固化剂)、环氧粘结剂(环氧基液+粉状填料)、环氧砂浆(环氧粘结剂+砂)、环氧混凝土(环氧砂浆+石子)等。

3.5.29 沥青材料有何特性？其制品主要有哪些？

沥青材料是一种有机胶结憎水材料,不溶于水,组织致密,能和矿物胶结材料化合,形成憎水性薄膜,有效地阻止水浸入内部,防水性能好。同时还具有一定的粘结力、较好的塑性和适应变形能力。因此,沥青及其制品在防水工程上得到广泛应用。它可以制造防水卷材、防水胶结剂、防水嵌填膏及防锈、防腐涂料等。一般常用的有石油沥青和煤沥青两种。

沥青材料的主要制品有:冷底子油、沥青胶(玛琋脂)、沥青砂浆、沥青麻丝、沥青混凝土等。

3.5.30 土工合成材料有何功能?

土工合成材料的功能是多方面的。综合起来,可以概括为以下六种基本功能:

(1)过滤作用。把土工织物置于土体表面或相邻土层之间,可以有效地阻止土颗粒通过,从而防止由于颗粒的过量流失而造成土体的破坏。同时允许土中的水或气体穿过织物自由排出,以免由于孔隙水压力的升高而造成土体的失稳等不利后果。

把土工织物置于挟有泥沙的流水之中,可以起拦截泥沙的作用。

过滤是土工织物的一项主要功能,适用于下列工程:①土石坝粘土心墙或粘土斜墙的滤层;②土石坝(包括碾压坝、水坠坝、水中倒土坝等)或堤防内的各种排水体的滤层;③储灰坝或尾矿坝的初期上游坝面的滤层;④堤、坝、河、渠及海岸块石或混凝土护坡的滤层;⑤水闸下游护坦、海漫或护坡下部的滤层;⑥挡土墙回填土中排水系统的滤层;⑦排水暗管周边或碎石排水暗沟周边的滤层;⑧水利工程中水井、减压井或测压管的滤层;⑨其他如公路和飞机场的基层、铁路道渣和人工堆石与地基之间的土工织物隔离层,均同时起过滤作用。

(2)排水作用。有些土工合成材料可以在土体中形成排水通道,把土中的水分汇集起来,沿着材料的平面排出体外。较厚的针刺型无纺织物和某些具有较多孔隙的复合型土工合成材料都可以起排水作用。适用于下列工程:①土坝内部垂直或水平排水;②土坝或土堤中的防渗土工膜后面或混凝土护面下部的排水;③埋入土体中(如水力冲填坝中)消散孔隙水压力;④软基处理中垂直排水(塑料排水板或袋装砂井);⑤挡土墙后面的排水;⑥各种建筑物周边的排水;⑦排除隧洞周边渗水,减轻衬砌所承受的外水压力;⑧人工填土地基或运动场地基的排水;⑨其他如在霜冻区、盐碱区截断毛细管水的上升,降低地下水位,起防冻和防止盐碱化作用,在公路、铁路路基的土工织物隔离层亦可起排水作用。

(3)隔离作用。有些土工合成材料能够把两种不同粒径的土、砂、石料,或把土、砂、石料与地基或其他建筑物隔离开来,以免相互混杂,失去各种材料和结构的完整性,或发生土粒流失现象。土工织物和土工膜都可以起隔离作用。可用于下列工程:①铁路道渣与路基之间的隔离层,或路基与软弱地基之间的隔离层;②公路基层碎石与路基或地基之间,飞机场、停车场、运动场面层与地基之间的隔离层;③在土石混合坝中,隔离不同的筑坝材料;④在裂隙发育的岩基,或者卵石、砂卵石地基上修建土石坝,用作坝体与地基之间的隔离层,有时还可起加筋作用;⑤石笼、砂袋或土袋与软弱地基之间的隔离层;⑥人工填土、堆石或材料堆场与地基的隔离层;⑦其他如在水中(江、河、湖、海)抛填土石方,将土工织物铺放在水下,起隔离作用,也可起反滤加固作用;在人行便道混凝土板下,有时也铺放土工织物作为隔离层等。

(4)加筋作用。很多土工合成材料埋在土体之中,可以分散土体的应力,增加土体的模量,传递拉应力,限制土体侧向位移;还增加土体和其他材料之间的摩阻力,提高土体及有关建筑物的稳定性。土工织物、土工格栅、土工网及一些特种或复合型的土工合成材料,都具有加筋功能。可用于下列工程:①在公路(包括临时道路)、铁路、土石坝、防波堤、运动场等工程中,用以加强软弱地基,同时起隔离与过滤的作用;②加强堆土或开挖陡坡的边坡稳定性;③用作挡土墙回填土中的加筋,或用以锚固挡土墙的面板;④修筑包裹式挡土墙或桥台;⑤加固柔性路面,防止反射裂缝的发展;⑥增加破碎岩石边坡的稳定性,也是加筋土挡墙的另一种形式;⑦其他如在裂隙或断层发育的基岩上,增加边坡的稳定性或加固基础。制造石笼、土砂石袋,在存货场或施工场地的地基上铺放土工织物,既可起隔离作用、反滤作用,又可起加筋作用。

(5)防渗作用。土工膜和复合型土工合成材料,可以防止液体的渗漏、气体的挥发,保护环境或建筑物的安全。可用于下列工程:①土石坝的防渗斜墙或心墙,上游铺盖或库区防渗措施;②土石坝或水闸地基的垂直防渗或地下水库的垂直防渗墙;③浆砌石坝或碾压混凝土坝的上游坝面防渗,以及其他类型混凝土坝的渗漏处理;④水闸上游护坦及护坡防渗;⑤渠道防渗;⑥灌区内的低压输水管道;⑦隧道周边及堤坝内埋设涵管的防渗;⑧防止蓄水池、游泳池、养鱼池、污水池和各类大型液体容器的渗漏与蒸发;⑨地下室防渗及其他建筑物的防渗防潮;⑩屋顶防漏;⑪充水或充气的橡胶坝;⑫用于修筑施工围堰;⑬其他各种土建工程中的防渗措施。

(6)防护作用。多种土工合成材料对土体或水面,可以起防护作用,适用于下列工程:①土工织物、注浆模袋、土砂石织物袋、土砂石织物枕、织物软体排等材料防止河岸或海岸被冲刷;②防止垃圾、废料或废液污染地下水或散发臭味。

3.5.31 土工合成材料分为哪几种?其性能指标测定试验包括什么?

土工合成材料产品的原材料主要有聚丙烯(PP)、聚乙烯(PE)、聚酯(PER)、聚酰胺(PA)、高密度聚乙烯(HDPE)和聚氯乙烯(PVC)等。

土工合成材料包括土工织物、土工膜、土工特种材料和土工复合材料四大类。

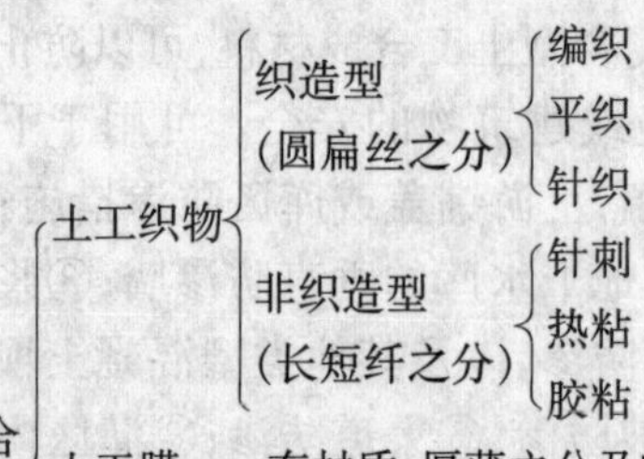

土工合成材料

- 土工膜——有材质、厚薄之分及吹塑、压延、涂敷及膜面加糙的不同
- 土工特种材料
  - 土工格栅、土工带、土工格室、土工网、土工石笼
  - 土工管、土工模袋、三维网垫、EPS等
- 土工复合材料
  - 复合土工膜——膜与织物或其他材料相复合
  - 复合防排水材料——排水带、排水管、排水防水材料等

土工合成材料性能指标包括其本身的特性指标和与土相互作用指标(性能指标)。后者为与土共同作用时的反应,应模拟实际工作条件,由试验测定。

土工合成材料指标测定试验包括以下主要项目:

(1)物理性指标。单位面积质量、厚度、等效孔径(EOS)(及其与压力的关系)等。

(2)力学性指标。拉伸强度、撕裂强度、握持强度、顶破强度、胀破强度、材料与土相互作用的摩擦强度等。

(3)水力学指标。垂直渗透系数(或透水率)、平面渗透系数(或导水率)、梯度比(GR)等。

(4)耐久性。抗老化性、抗化学腐蚀性。

根据工程具体需要,选择材料的测试项目。测试方法应符合有关标准。

确定设计指标时,应考虑环境变化对参数的影响。例如非织造土工织物受压而变薄,等效孔径、渗透性相应降低。

3.5.32 利用土工合成材料排水、反滤时应符合哪些规定?

利用土工合成材料修做排水、反滤时,应符合:

(1)反滤准则。这是任何反滤材料必须遵守的要求。

保土性:防止被保护土流失,引起渗透变形。对于编织型土工织物保土性准则可以采用以下规定:粘粒含量大于10%的粘土、壤土,在覆盖保护层块大(0.4m×0.6m)、缝隙小(如预制件)的条件下,用O_{90}表示编织土工织物的等效孔径,可采用$O_{90}\leqslant 10d_{90}$;粘粒含量小于10%的砂性土,在覆盖保护层块大(0.4m×0.6m)、缝隙小(如预制件)的条件下,可采用$O_{90}\leqslant(2\sim5)d_{90}$,浪高小于0.6m时,取大值,否则取小值。

透水性:保证渗透水通畅排除。

防堵性:保证不致被细土粒淤堵失效。

(2)施工要求。有往复流时,织物后面的土料不易形成天然滤层,需要铺薄砂层予以改善。

土工织物是聚合材料,紫外线直接照射会引起降解等破坏作用,故应尽早覆盖保护。

3.5.33 利用土工合成材料防渗时应符合哪些规定?

(1)对于高水头(大于50m)挡水建筑物,采用土工织物防渗应经过论证。

(2)用于防渗的土工合成材料主要有土工膜及复合土工膜。其厚度应根据具体基层条件、环境条件及所用土工合成材料性能确定。承受高应力的防渗结构,应采用加筋土工膜。为增加其面层摩擦系数,可采用复合土工膜或表面加糙的土工膜。

(3)为防止土工膜受水、气顶托破坏,应该采取排水、排气措施。一般可用复合土工膜,预计有大量水、气作用时,应根据情况设专门排放措施。

(4)用于渠道防渗时,应遵照《渠道防渗工程技术规范》(SL18－91)的有关规定。

第六节 涵闸工程险情处理

3.6.1 涵闸工程发生险情的原因是什么?

涵闸工程发生险情是由于设计、施工、管理、运用多方面的原因造成的,常见的直接原因有:①不均匀沉陷;②渗径长度不足;③水流淘刷;④管理养护不善;⑤超标准洪水。

3.6.2 涵闸抢险应注意的事项是什么?

涵闸抢险时应注意:①对发生的险情应进行观察和记录,并及时上报;②设立标志,加密测次,掌握险情发展动态;③综合分析,制订抢护方案;④注意水情变化;⑤抢护时要连续作战,一气呵成;⑥备好料物,保证供应;⑦搞好抢险组织,保证人身安全。

3.6.3 什么叫流土?

在渗透压力的作用下,土体的颗粒群同时起动而流失的现象称为流土。粘性土发生流土表现为土体隆起、浮动、断裂等,无粘性土表现为泉眼、沙沸、土体翻滚最终被渗透托起等。

3.6.4 什么叫管涌?

在渗透压力作用下,土体中的细颗粒沿着土体骨架颗粒间的孔道移动或被带出土体,这种现象叫管涌。它通常发生在砂砾石渗流出口,也可能发生在土体内部。

3.6.5 检查漏洞有哪些方法?

检查漏洞有水面观察、人工探摸、漏探法、警报器法、浮球法等。

3.6.6 冲刷险情如何检查？

检查冲刷险情可采用外观检查、锥探检查、测深法、潜水员探摸等方法。

3.6.7 滑动险情如何检查？

要检查闸向下游滑动位移或倾斜程度，可利用工程位移观测设备进行观测。

3.6.8 处理渗漏险情的原则是什么？

上游截渗，下游导渗。

3.6.9 涵闸与堤防结合部渗水处理的方法有哪些？

压力灌浆、临河堵塞、开膛中堵、背河导渗反滤。

3.6.10 涵闸冲刷险情的抢护方法有哪些？

抛石或铅丝笼护基，缓溜防冲，丁坝导溜外移，抬高尾水位，抢修围堰。

3.6.11 建筑物浮托、倾斜、滑动险情的抢护方法是什么？

建筑物发生浮托、倾斜、滑动险情主要是由于洪水位超过了设计水位，闸顶及桥面浸没水中，减轻了建筑物的重量引起的。水的浮托力的增加，就有使建筑物发生浮起、滑动的危险，在这种情况下，可以用土袋、石块等重物压在建筑物上面，增加荷载，同时也加强了建筑物基底与基础土壤层间的摩擦力，可以避免发生浮起、滑动、倾斜现象。但加载应通过计算，洪水降落后，要及时卸荷，以维护闸基础的安全。

3.6.12 防止闸顶漫水的抢护方法是什么？

根据洪水预报，闸顶可能漫水时，可立即采用下述方法：

(1)土袋子埝。在启闭平台和翼墙顶端做土袋子埝，防止漫水。

(2)桩柳粘土子埝。在翼墙的后面填土部分，每隔1.0～1.5m打木桩两排，排距1.5m左右，桩顶用铅丝互相拴系，桩内侧扎上两排直径0.1～0.15m的柳把，柳把内填粘土捣实，也可以防止漫顶。

(3)柳石枕粘土子埝。在闸顶翼墙顶捆柳石枕挡水，枕后填粘土，顶宽1～1.5m，后边坡1:1～1:2，也可以防止漫水。

(4)木板挡水。当闸门缺少胸墙，预计漫过闸门顶的水深不大时，可用木板直立，下端靠在闸门顶上游，上端固定在工作梁上，临时挡住水流。若板缝间漏水量大，还可在板前吊挂帆布门帘，以减少过水。

3.6.13 洪水期闸门失灵的抢护方法是什么？

由于启闭机损坏，闸门扭曲，吊绳断裂，丝杆扭曲，机磨损毁，脚螺栓失效，或者滚轮偏斜失灵等原因，使闸门落不下去，或被卡在中间，或者底板闸槽内有石块等物使闸门关不到底。这样在洪水期闸门过流很大，造成下游冲刷破坏。为防止这种现象发生，可以关闭工作闸门前的检修闸门，由于检修闸门大都是叠梁板型式，可能还会漏水，再在两道闸门间抛填土袋，或在叠梁板前下放帆布帘，防止漏水。

3.6.14 如何判断允许出逸坡降？

对于细颗粒含量小于30%的正常级配砂砾料，可参考伊斯托敏娜(苏联)根据室内试验资料提出的允许出逸坡降数值。

当 $\eta \leqslant 10$ 时　　$J_0 = 0.3 \sim 0.4$

当 $10 < \eta < 20$ 时　$J_0 = 0.2$

当 $\eta > 20$ 时　　$J_0 = 0.1$

式中　η——不均匀系数，$\eta = d_{60}/d_{10}$，d_{60}、d_{10} 为两个土粒直径，即它们分别为小于该直径的土粒重量占总重量的 60%及 10%；

J_0——允许出逸坡降。

我国通常采用的允许出逸坡降值如表 3-4。

表 3-4　防止流土破坏的允许出逸比降

地基土质类别	允许出逸比降
粉　　砂	0.25～0.30
细　　砂	0.30～0.35
中　　砂	0.35～0.40
粗　　砂	0.40～0.45
中 细 砂	0.45～0.50
粗砾夹卵石	0.50～0.55
砂 壤 土	0.40～0.50
(粘) 壤 土	0.50～0.60
软 粘 土	0.60～0.70
坚硬粘土	0.70～0.80

第七节　涵闸工程观测

3.7.1　涵闸工程需要进行哪些水文观测？

涵闸工程一般要进行水位、过闸流量、含沙量、流态等项观测。

3.7.2 如何选择涵闸测流的水尺位置？

上游水位测点应布设在发生最大水位差时水面开始降落的地点上游，一般距涵闸的距离为上游最大水深的15～20倍；下游水位测点应设在水流平稳处，不受水跃或回流影响的地方，一般应在消能设施以下，距消能设施末端的距离为消能设施总长度的3～5倍处。

3.7.3 如何进行水位的观测？

水位观测的测次，按水文规定执行。在水位变化缓慢时，每日观测1至2次，水位变化急剧时增加测次，必要时每两小时观测一次。涵闸在操作运用过程中，闸门开始变动以前及变动停止后、水位稳定时均需加测一次。受潮汐影响的挡潮闸或引潮闸，如需研究潮汐变化的，则应按潮水河规定在上游或下游进行全潮水位观测；如仅为推算流量的，则只需要在开闸后观测水位，关闸时不观测或只观测最高与最低水位。

水位读数应读至厘米，记载以米为单位。在有风浪时进行观测，应将波浪的峰顶和谷底在水尺上的位置读出，记录其平均值。水位数值由水尺零点高程加水尺读数算得。水尺零点高程数值在计算水位时，采用到厘米。

3.7.4 如何选取测流断面位置？

流量测验通常是在涵闸的上游或下游垂直于水流方向的横断面上进行的。测流断面的选设，除了应考虑水流平稳，能取得准确成果和工作方便等条件外，还应符合下列要求：没有闸门控制或虽有闸门却经常提出水面以上的涵闸，测流断面一般可设在涵闸上游500m以上的河段，如果上游受地形或其他条件限制而不便设置断面时，也可设在涵闸下游；有闸门控制的涵闸，如果下游没有变动的回水影响，应尽量设在下游，一般可设在距离闸门 500～1 000m的河段，如下游受潮汐影响或其他条件限制而不便设置断面时，也可设在上游。

3.7.5 如何进行流量测验？

(1)在测流断面上，流速仪放入水中某一固定位置测得的流速叫做测点流速。在各个测点上测量流速的历时一般不少于 100s，若需要缩短测速历时，也应满足 50 个信号或不少于 60s。在流速较小的情况下，需要延长测速历时至第 4 个信号出现为止。通常在测流断面上选一些垂线进行流速测量，这些垂线叫做测速垂线。测速垂线上各点流速的平均值叫做垂线平均流速。

(2)测速垂线的数目，应根据水道宽度、水深及测流方法等情况来确定，通常不少于 5 条。一般情况下，还要在每两条测速垂线中间加一条测深垂线。测速、测深垂线之间距离，通常也应当相等。测量水深一般使用测深杆、测深锤或铅鱼。

(3)测速垂线上流速测点的分布，视水深和测验要求而定。水深较大，通常用三点法，即在水深的 0.2、0.6 及 0.8 倍处测速；二点法在水深的 0.2 及 0.8 倍处测速；水深小于 0.4m 时，在水深的 0.6 倍处测速。

(4)按照断面法进行流量计算。

3.7.6 如何进行含沙量测验？

在多泥沙河流上建筑的涵闸，需要进行悬移质含沙量测验，以便了解过闸泥沙的数量，为涵闸运用提供依据，并进行泥沙处理。

在涵闸运用期间，每天至少取单位水样一次，洪水期应增加取样次数，非汛期含沙变化不大的情况下，也可以 2～5 日取样一次。输沙率测验次数，应在含沙量变幅内均匀分布。一般情况下，应有半数以上的测次分布在洪水期。在输沙率测验的同时，应在固定的位置采取单位水样，并以这些测验成果建立单位水样含沙量与断面平均含沙量的关系。在单沙、断沙关系较好的情况下，可以减少输沙率的测验次数。

3.7.7 如何用置换法测含沙量？

置换法是量出水样容积并沉淀、浓缩后用小漏斗把水样注入已经检定过的比重瓶中，并用清水清洗容器，冲洗后的水、沙，一并倒入比重瓶中。然后注入少量清水使比重瓶内水面达到一定刻度，等到瓶内没有微小气泡上升时，再加上瓶塞，用手将塞顶上的水抹去，用毛巾擦去瓶外的水分，用天平测定瓶加瓶中浑水的重量，同时测定水样温度。

比重瓶检定后，由给定的公式或图表，可得出相应的瓶加清水重。

比重瓶中的泥沙重量用下式计算：

$$W_{沙} = K(W_1 - W_2)$$

式中 $W_{沙}$——泥沙重量，g；

W_1——瓶加浑水重量，g；

W_2——瓶加清水重量，g；

K——系数。

$$K = \gamma_{沙} /(\gamma_{沙} - \gamma_{水})$$

式中 $\gamma_{沙}$、$\gamma_{水}$——沙和水的容重。

则含沙量的计算公式为：

$$\rho = \frac{W_{沙}}{V} \times 1\,000 \qquad (\mathrm{kg/m^3})$$

式中 ρ——用积点法施测时，为测点含沙量，用混合法施测时，为垂线平均含沙量；

V——水样体积，$\mathrm{cm^3}$。

3.7.8 含沙量测验的水样处理方法有几种?

水样的处理方法,常用的有过滤、焙干、置换法三种。过滤法和焙干法适用于含沙量较小的情况,置换法适用于含沙量较大的情况。

3.7.9 如何施测单位含沙量与断面含沙量?

含沙量测验包括单位水样含沙量和断面平均含沙量的测验。单位水样含沙量是指在流量测验断面上的固定位置,或者在其他取样比较方便的位置所测定的含沙量。含沙量在断面上不是均匀分布的,因此要像流量测验选择测速点那样,选取含沙量测点,在测得各点的含沙量以后,推算出断面平均含沙量。

断面平均含沙量的测验通常是和流量测验同时进行的。根据二者的结果,就可以算出单位时间内通过涵闸的沙量,这就是输沙率。

3.7.10 为什么要进行冲淤观测?

为了解涵闸上、下游河床(渠道)变形的情况和数量,需要进行冲淤观测,以便分析河床(渠道)变形对于涵闸的安全和过水能力的影响,从而确定采取维护、加固或者疏浚、开挖等措施。

3.7.11 如何进行冲淤观测?

(1)冲淤观测可以利用地形(主要是水下地形)测量来完成,这种方法计算出来的冲淤数量比较准确,反映的情况也比较全面,但测量的工作量大。通常采用的方法是在测验河段上布设断面,断面线原则上要求垂直于主流流向。断面之间的距离以每个断面测量结果能有一定的代表性和根据测量的目的来确定。断面设置后,要在河道两岸埋设断面桩,不应轻易变动。

(2)水深测量一般在船上进行,测深常用测深杆、测深锤或铅鱼,条件好的可用回声测深仪。

(3)进行水下断面测量时,要同时观测水位,在测量过程中,水位发生变化,要增加水位观测次数。在计算水下地形点高程时要进行水位涨落改正。

(4)断面测量记录按规定的表格进行,根据记录,整理出每个断面各个地形点的起点距和高程。根据上述断面实测成果,用方格纸,选用适当的比例尺,即可点绘河道断面图。将两次以上测量的断面套绘于同一方格纸上,即可看出断面的冲淤变化。

3.7.12 如何进行流量测验?

水流通过涵闸段的状态称为流态。流态一般可按照水力学进行分类,分为堰流和孔流两类。在两类流态中,因涵闸下游水深的不同,又分为自由式和淹没式等流态。有些涵闸还有半淹没式流态产生。判别自由流或淹没流可用水力学方法进行。

实测涵闸通过的流量时,应根据不同的出流情况,把水位和闸门开度等相关因素的最大变幅按下列方法分级进行观测:

(1)自由式堰流,可以将上游水位的最大变幅分为6~12级,每级施测2~3次。

(2)淹没式堰流,可以将上游水位的最大变幅分为6~12级,再按每级水位,将上下游水位差或下游水位最大变幅分为6~12级,进行组合,对每个组合各施测1~2次。

(3)自由式孔流,按闸门最大开度分为6~12级,再按每级开度将上游水位最大变幅分为6~12级,进行组合,对每个组合施测1~2次。

(4)淹没式孔流,按照闸门开度及水位差最大变幅,比照自由式孔流的分级组合进行测验。

在涵闸运用期间,当出现上述各种不同分级组合时,应及时施测流量,以逐步校核、修正设计的水位流量关系。在得出比较正确的水位流量关系以后,在条件不变的情况下可以停止涵闸的流量测验。

根据实测流量成果,应绘制水位流量关系曲线。

3.7.13 如何选择堰闸过闸流量及流量系数的计算公式?

不同类型涵闸的过闸流量及流量系数的计算公式见表 3-5。

表 3-5　　一般堰闸过闸流量及流量系数计算公式

流量计算公式	流量系数计算公式	流量系数的相关因素	适用范围	
			出流情况	堰闸类型
$Q=MA\sqrt{2gH}$	$M=\frac{Q}{A\sqrt{2gH}}$	$M\sim\frac{a}{H}$	自由式孔流	锥形阀
$Q=Mba\sqrt{H-h_c}$	$M=\frac{Q}{ba\sqrt{H-h_c}}$	$M\sim\frac{a}{H}$	自由式孔流	平底闸、宽顶堰闸
$Q=Mba\sqrt{H}$	$M=\frac{Q}{ba\sqrt{H}}$	$M\sim\frac{a}{H}$	自由式孔流	实用堰闸、跌水壁闸
$Q=\sigma_1 Mba\sqrt{H}$	$\sigma_1 M=\frac{Q}{ba\sqrt{H}}$	$\sigma_1 M\sim\frac{H'}{H}\sim\frac{h_t}{H}$	半淹没式出流	实用堰闸、跌水壁闸
$Q=Mba\sqrt{Z}$	$M=\frac{Q}{ba\sqrt{Z}}$	$M\sim\frac{a}{Z}$	淹没式孔流	各种类型建筑物
$Q=C_1 bH^{3/2}$	$C_1=\frac{Q}{bH^{3/2}}$	$C_1\sim H$	自由式堰流	各种类型建筑物
$Q=\sigma C_1 bH^{3/2}$	$\sigma C_1=\frac{Q}{bH^{3/2}}$	$\sigma C_1\sim\frac{h_t}{H}$	淹没式堰流	各种类型建筑物
$Q=C_2 bh\sqrt{Z}$	$C_2=\frac{Q}{bh\sqrt{Z}}$	$C_2\sim Z$ $C_2\sim\frac{Z}{H}$	淹没式堰流	平底闸、宽顶堰闸

注　A 为阀门过水面积(m^2);Q 为流量(m^3/s);b 为闸门或堰顶的总宽度;a 为闸门开度(m);H 为上游水头,即上游水位减去闸底板或堰顶高程或阀门出流口中心高程(m);h_c 为收缩断面水深(m),$h_c=\varepsilon a$;ε 为重直收缩系数;M 为孔流流量系数;σ_1 为半淹没系数;H'为上游水头减闸门开度(m);h_t 为闸下游水头;Z 为闸上下游水位差;C_1 为堰流流量系数;σ 为淹没系数;h 为堰顶水深;C_2 为堰流流量系数(淹没式)。

3.7.14 为什么进行涵闸工程观测?

因为涵闸工程受各种力的作用和各种自然因素的影响,工程状态和工作情况随时都在发生变化。有的是正常变化,不影响涵闸的安全;有的是异常变化,可能导致工程失事。为了及时掌握涵闸的工作情况和变化,必须进行涵闸工程观测。

3.7.15 如何进行涵闸工程观察?

涵闸工程观察,就是用眼看、耳听、手摸等直觉方法或用简单的工具,对涵闸进行观察,以便及时发现涵闸外露的一切不正常现象,并进行分析,判断建筑物内部可能发生的问题,从而进一步采取适当的观测和养护修理措施,消除缺陷,保证工程安全和完整。

3.7.16 涵闸工程观察时应注意什么?

在不同的运行情况和不同的外界条件下,要加强对容易发生问题的部位进行观察,观察时应注意:

(1)在高水位期间,应加强对闸身、两岸接头、闸门、止水等部位进行观察,特别要注意渗流溢出部位的观察。

(2)在大风大浪期间,应注意观察翼墙、护坡及闸门。

(3)在暴风雨期间,应注意加强对其表面、护坡的冲刷、排水情况及可能发生坍塌部位的观察。

(4)在放水期间,应加强对水流形态、冲淤、震动、水面浮漂物的观察。

(5)在水位骤降时,应加强对迎水坡可能发生滑坡部位的观察。

(6)在冬季和温度骤降期间,应加强对伸缩缝的形状和渗水情况的观察。

(7)在冰凌期间,应注意冰冻情况、冰凌对涵闸的影响的观察。

(8)在遭受5级以上地震之后,应及时对涵闸进行全面观察,特别要注意有无裂缝、滑坡、塌陷、翻沙、冒水及渗流异常现象。

3.7.17 如何布设涵闸工程的位移标点及观测基点?

涵闸位移标点的布置,以能全面掌握涵闸形态变化为原则。通常将垂直和水平标点设在同一标点桩上。有些涵闸根据需要,也可将垂直和水平位移标点分开布设。在垂直水流方向上至少布置一排标点,通常每个闸墩安设一个标点。如果闸身较长,也可只在伸缩缝两侧各设一个标点。较长的涵洞,每个涵洞的底部沿水流方向布置一排,通常每节洞身的两端各布置一个标点。

垂直位移观测的起测基点和水平位移观测的工作基点都应布置在离开涵闸的岩石或坚实土基上。为了对基点进行校测,每个基点都要布置两个校核基点。

3.7.18 如何进行垂直位移观测?

垂直位移观测,通常是用水准仪根据起测基点高程,测定标点的高程变化。由水准点引测、校测起测基点的垂直位移,按二等水准测量的方法进行,其往返闭合差不得大于$\pm 0.36\sqrt{n}$mm(n为测站数)。标点的垂直位移观测,按三等水准测量方法进行,其闭合差不得大于$\pm 0.72\sqrt{n}$mm。

3.7.19 如何进行水平位移观测?

水平位移观测,通常是用经纬仪按视准线法或小角度法,根据工作基点与标号的水平位置关系测定标点的水平位置变化。

3.7.20 如何进行基础扬压力观测?

基础扬压力观测,一般是在涵闸中埋设测压管或在闸基与地基接触面上埋设差动电阻式渗压计进行观测。扬压力测压管安装完毕后，或者在运用期间发现管内水位或压力读数不正常时，应进行注水试验或放水试验，以检查测压管的灵敏度。对于管中水位低于管口的扬压力测压管，测量管中水位最简单的办法是使用测深锤，也可使用测水位器；对于管中水位超过管口高程的测压管，通常采用压力表、压差计或渗压计等仪器进行测量。压力表一般适用于水位高于管口 3m 以上的情况，压差计一般适用于水位高出管口不超过 5m 的情况。

3.7.21 如何进行裂缝观测？

涵闸发生裂缝后，应对裂缝的位置、分布、长度、深度、宽度及是否漏水等情况进行观测。

裂缝的位置和长度的观测，可在裂缝附近的混凝土表面上绘制方格坐标，进行丈量和描绘。裂缝深度观测一般可用金属丝探测，条件许可，最好用超声波探伤仪测定。裂缝宽度的观测，一般可借助于放大镜来测定。对于重要的裂缝，应选择有代表性的位置，设置固定标点，一般可在裂缝两侧的混凝土表面各埋一个金属标点，用游标卡尺测定，精确度可达 0.1mm。实测两标点间距的变化值即为裂缝宽度的变化值。

在混凝土发生裂缝的初期，裂缝观测应每天一次，裂缝发展缓慢时，可减少测次。经过长期观测，判明裂缝不再发展后，可停止观测，代之以定期观测。在水位、气温发生急剧变化时，应增加观测次数。

3.7.22 如何进行伸缩缝观测？

伸缩缝观测，是在伸缩缝处埋设金属标点或差动式电阻测缝计，以测量缝的变化。

伸缩缝两侧各埋设一个标点，用游标卡尺测量，可量出伸缩缝变化的距离。为了观测伸缩缝的空间变化，可埋设三点式金属标点或型板式三向标点。

3.7.23 如何进行振动观测?

为了解闸门由于水流引起振动对闸门安全的影响,研究减免振动的运用方式和措施,为设计和科研提供资料,需对闸门振动进行观测。

振动观测的要素为振动的幅度和振动的频率。振动观测的测点,应选在闸门遭受动能冲击的最大处并有代表性的部位,如拉杆和支臂等。

振动观测用的电测仪器种类很多,一般由感应、扩大、显示三部分组成,观测时将仪器的感应部分与振动物体接触,通过示波仪观测振动的幅度和频率。

接触式振动仪外部是由一个结实的金属壳构成的,内部由联动机构、传动杆、触杆、笔杆、定时器和记录机组成。测量振动时,把触杆接触在被测构件的表面上,振动由触杆通过传动杆,由笔杆记录在转动的记录纸上。

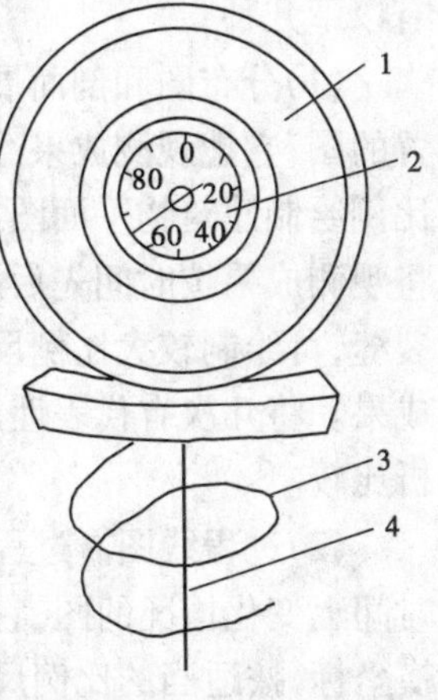

图 3-9 振动表示意图

1—稳定铅块 2—千分表 3—弹簧 4—测微杆

如果没有电测仪器或接触式振动仪,也可用千分表(0.01mm)改装成振动表(图 3-9)。改装的方法是:把千分表放在一个铅块里,把装有千分表的铅块放在一个弹簧上边,使千分表下边的测微杆略短于弹簧,当改装好的振动表放在平面上时,铅块压缩弹簧,测微杆正好与平面接触。观测时,将振动表放在待测振动的物体表面上,由于铅块稳定不动,测微杆则随振动物体而振动,读出千分表指针摆动的范围,即为振动物体的相对振幅。振动表的缺点在于不能测定振动物体的绝对振幅和频率。

3.7.24 如何进行涵闸观测资料的整理及分析?

资料的整理分析主要包括:检查记录是否完整,有无可疑数字和没有按规定格式的记载;统计并校核计算成果;填列报表;核对绘制的分布图及剖面展示图;绘制过程线;制作物理现象与影响因素之间的关系曲线,从而掌握涵闸运行过程中各种变化规律和发展趋势,分析其变化是否正常合理,找出特殊变化的原因和影响因素。资料分析通常采用对比的方法,同一时期、不同地点的资料可以相互对比;不同时期,外界条件相同或者不同的资料也可以进行对比。对于突然变化的现象,应找出与变化有关的各种因素的变化情况。为了直观地了解变化过程及与影响因素之间的关系,通常是将观测成果整理绘制出各种曲线,从这些曲线中寻求规律,经过全面分析,最后做出结论。观测成果整理后绘制的曲线图一般有以下几种:

(1)分布图和剖面展示图。分布图是标示物理量在空间的位置的图,它把观测成果绘在涵闸平面图或垂直断面上。先按一定比例绘制建筑物平面图或断面图,布置标点的绘上标点位置,然后将观测成果按时间先后用适当的比例绘制。对于重要的和典型的裂缝,可绘制较大比例尺的平面图或剖面展示图,在图上标出观测成果。将几次有代表性观测成果绘制在同一张图上,这样便于分析比较。

(2)过程线图。过程线图是标示涵闸一定部位处的物理量在时间上变化情况的图,它是以该处测得的物理量为纵坐标,时间为横坐标,按适当的比例尺绘制的图形。常见的有垂直位移过程线、水平位移过程线、裂缝发展过程线、伸缩缝宽度过程线以及扬压力过程线等。为了寻求这些物理量变化的原因,通常将各种可能的影响因素绘在同一过程线上,通常有水位过程线、混凝土温度过程线、气温过程线等。

(3)关系线图。为了找出涵闸变形、扬压力变化等与外界影响因素之间的数量关系,除了用数理统计方法进行相关计算外,通常绘制关系线图。先按适当的比例尺,以影响因素为纵坐标,涵闸变形、扬压力等为横坐标,将同一时间观测数值点绘在方格纸上,如果各点群有一定的规律,说明涵闸变化与影响因素有关系;如果点群杂乱无章,则说明两者没有什么关系或者关系不密切。通常绘制的关系曲线有水平位移与上游水位关系曲线、伸缩缝宽度与混凝土温度关系曲线、扬压力与上游水位关系曲线、振动与闸门开度关系曲线等。从这些关系图中可以分析出涵闸各种变化的影响因素,这不仅可以校核设计成果,更可以为涵闸控制运用、管理维修提供依据。

图书在版编目(CIP)数据

河防问答/胡一三等编.—郑州:黄河水利出版社,2000.4

ISBN 7-80621-372-4

Ⅰ.河…　Ⅱ.胡…　Ⅲ.治河工程-问答　Ⅳ.TV8-44

中国版本图书馆CIP数据核字(2000)第05588号

责任编辑:吕洪予　　装帧设计:朱　鹏

责任校对:裴　惠　　责任印制:常红昕

出版发行:黄河水利出版社

地址:河南省郑州市顺河路黄委会综合楼12层　邮编:450003

发行部电话:(0371)6302620　传真:6302219

E-mail:yrcp@public2.zz.ha.cn

印　刷:河南第二新华印刷厂

开　本:850 mm×1168 mm　1/32　　印　张:7.375

版　别:2000年4月　第1版　　印　数:1—5 000

印　次:2000年4月　郑州第1次印刷　　字　数:185千字

定价:15.00元